Collection **marabout service**

D0766135

MARIE-MAGDELEINE CARBET

La cuisine
des îles
ou
le bon manger
antillais

marabout

Sommaire

Avant-propos

Il n'est pas question de reprendre ici les recettes ni les notions de cuisine courante. Cependant pour un usage des recettes et des suggestions émises en ce recueil faisons une rapide mise à jour des divers modes de cuisson.

Ils se comptent sur les doigts d'une main en dépit de la multiplicité des formules.

La cuisson la plus simple s'effectue dans un bain, froid ou chaud, d'un liquide plus ou moins riche : eau, lait, bouillon.

La cuisson conserve aux aliments plus ou moins de leurs principes nutritifs et sapides selon le liquide employé et surtout selon la mise à froid ou à chaud. Ainsi l'eau de cuisson des légumes riches en sels minéraux fait la base de savoureux potages. Le cuisinier avisé ne la jette pas. Pour leur conserver le goût, ne pas émincer les légumes. A moins d'indication spéciale, couvrir le récipient pendant la cuisson. On peut réduire le bain de cuisson, aller jusqu'à le supprimer (cuisson à l'étuvée, à feu doux, en récipient hermétiquement clos) : l'aliment cuit ainsi dans son propre jus garde toute sa saveur et son entière valeur nutritive.

Un autre mode de cuisson consiste à plonger directement la denrée dans un bain d'air très chaud : cuisson au four, ou directement à la flamme, grillade. Dans ce cas, on facilite la formation d'une couche protectrice : enrobage dans la graisse ou la farine.

Le bain très chaud peut être fait d'huile bouillante, auquel cas on procède à une friture. L'immersion dans le corps gras entame un peu la digestibilité.

On peut enfin utiliser un mode qui est un compromis entre les premiers et les derniers. Il s'agit alors de provoquer un saisissement de la surface, l'aliment étant mis à feu vif, dans un peu de graisse ou d'huile. Il dore. On dit qu'on le fait «revenir». Après quoi, on mouille à sauce plus ou moins longue et on laisse cuire sous couvercle, à feu modéré. Ce sont les daubes, fricassées, ragoûts, etc.

Introduction

Des îles, il y en a des centaines de par le monde. Pourtant l'expression «les îles» désigne, c'est précis, les mini-paradis égrenés en arc de cercle autour de la mer des Caraïbes. A mi-chemin des Amériques : les Antilles.

En Guadeloupe et Martinique se perpétuent, vivaces, maintes traditions du bon vieux temps. En particulier, celle française, du bien manger. Adaptée au climat, bien entendu. C'est-à-dire, cuisine haute en saveur et parfum ; hospitalité généreuse à l'égal de la terre et de la lumière tropicales.

Là, «offrir» et «recevoir» qui, paradoxe, s'entendent de la même oreille, prennent même pleine et joyeuse signification. C'est à l'hôte, celui qui «reçoit» le plaisir le plus grand : combler ses convives.

Chaque famille, si humble soit sa condition,

tient table ouverte. Est invité d'office quiconque franchit le seuil de la maison.

En porcelaine de Limoges ou écorce de calebasse se partagent le pain du jour, le goût de vivre, de rire, l'aubaine de manger, en bonne compagnie.

Manger, ce plaisir...

Où que l'on respire, se nourrir est bien sûr, nécessité. Mais qui si bien se prête à flatter la gourmandise et créer l'intimité de plus en plus menacée dans nos grandes villes, favoriser les retrouvailles entre amis. Aujourd'hui qu'on peut déjeuner en Europe, et dîner en Amérique, prendre le thé à Londres entre deux rendez-vous d'affaires à Zurich ou Bruxelles, on se rencontre de plus en plus au restaurant.

Il n'en est que plus réjouissant de se réunir en famille pour de rares, de précieuses heures autour d'une table bien garnie.

Homme ou femme, célibataire ou non, l'hôte n'a guère plus de facilités ou de loisirs que ses convives. Force lui est de se soumettre aux triples exigences du temps, de l'hygiène, de l'économie. Il faut des préparations simples et rapides, qui ménagent le foie, découragent la cellulite. D'autre part, plus la dépense est étudiée, plus souvent on peut s'offrir le luxe de recevoir.

Car, recevoir est à la fois plaisir et luxe. Ce qui exclut toute banalité. Or, renoncer aux frites quotidiennes, aux traditionnels petits pois de secours, ne condamne pas forcément aux raretés coûteuses. L'élégance, l'originalité consistent à servir du savoureux qui soit inattendu. Crustacés, poissons, légumes et fruits venus des quatre coins du monde s'offrent journellement aux éventaires des grandes villes. Guère plus coûteux en général que les produits du cru. La banane n'est-elle pas, tout au long de l'année, l'un des fruits les plus économiques? L'ananas vaut souvent moins cher que les fruits du terroir, en tout cas, que les primeurs. Il n'est pas jusqu'au saumon, à la langouste qui grâce aux transports aériens, ne s'acquièrent désormais à des conditions tout à fait abordables. Alors quoi de plus tentant que de créer, même en plein hiver, une atmosphère exotique?

Voulez-vous vous évader des routines quotidiennes? Evoquer pour vos hôtes couleurs et lumières des tropiques? Ce recueil s'offre à vous y aider.

Mais ce serait entamer dialogue de sourds que de négliger de souligner au départ quelques particularités du caractère et du choix des recettes présentées ici. A la monotonie du quotidien nous opposons généralement la recherche, le soin de mets plus cuisinés et rares et précieux. La cuisine régionale française en offre un bel éventail.

De nos jours, le ravitaillement des boutiques et du marché permettrait presque à chacun, la question d'argent exceptée, de se nourrir des produits de son terroir — les Antillais les premiers.

Ce petit livre dédié aux plaisirs de la table ne s'abaisse jamais jusqu'au banal ou au vulgaire. Il allie élégance et fantaisie au bon sens pratique, combine cuisine saine et simple à saveurs fines et colorées. Les recettes qu'il propose demeurent très aisément réalisables, en dehors de toutes dépenses excessives. Tout d'abord, il ne s'adresse pas forcément aux cordons bleus. Pour le suivre, il suffit d'un peu de routine. Ensuite il ne s'attarde qu'aux formules sortant de l'ordinaire. Ainsi l'usage tout spécial du citron frais et des épices dans la préparation des viandes et poissons est, une fois pour toutes, indiqué, expliqué avec soin. Il demeure valable pour le traitement de toutes les chairs animales. Seules les recettes originales sont données en détail.

Mais il n'est pas que le choix des recettes qui peut surprendre ici. Fût-il le moins avisé et le plus distrait de tous, le lecteur aura vite fait de s'étonner de la multiplicité des formules.

Ce qui leur donne caractère précieux, c'est que chacune peut à volonté se personnaliser, évitant de se répéter. De chacune en effet il est proposé jusqu'à cinq ou six versions et plus.

Ces pages sont en effet plus riches d'idées, de conseils et de suggestions que de recettes classiques. Elles s'enorgueillissent d'en appeler au goût et à l'initiative personnelle autant qu'à la simple routine. Elles invitent à la création, s'appliquent davantage à susciter la fantaisie qu'à enseigner. Si modeste soit-il ce recueil ne fait double usage avec aucun autre. Aucun autre ne peut lui être comparé.

Aussi est-il recommandé de le parcourir avant de s'en servir. Par pure curiosité. De le feuilleter seulement ensuite par nécessité.

Ainsi répondant au goût de chacun, il rendra le maximum de services.

A chacun le plaisir de découvrir, de réaliser avec succès des formules neuves, extrêmement faciles, si simples, si élémentaires qu'on s'étonne de n'y avoir jamais pensé.

On corrige bien l'âcreté du thé par le velouté du lait ou de la crème? Pourquoi ne pas corser au besoin le même thé d'une larme de rhum?

Pourquoi ne pas relever aussi de rhum la fadeur d'une infusion? Un verre de vin chaud stimule l'organisme en cas de nécessité. Une écorce de cannelle vient en enrichir le goût et la tonicité.

Vous acceptez bien que la purée de pommes sucrées accompagne les fibres sèches du porc froid. Le goût aigrelet de l'orange allège le gras un peu lourd de la chair du canard. Qui vous empêche de truffer un gigot de raisins secs, ou un gros oignon d'un clou de girofle? Pourquoi ne pas admettre que la banane dorée exalte la saveur d'un fromage de gruyère? que la crème du lait complète telle ou telle gelée de fruits? Qui vous interdit de composer la plus savoureuse, la plus parfumée des sauces mayonnaises à partir d'un verre de fromage frais, puisque les œufs vous sont défendus? Quelques pincées de safran ou de paprika lui donnant couleur jaune achèveront d'assurer l'illusion de l'authenticité de la sauce.

Des gâteaux sans beurre, des potages sans farineux, des escalopes sans viande, on en fait aussi...

Ces expériences sont le fruit de lustres et de lustres de recherches, d'essais, d'initiatives farfelues. A vous maintenant de jouer.

Un brin d'imagination, quelques grains de hardiesse et vous comblerez vos hôtes tout en vous amusant.

Du rhum

Voici, entre autres ressources quelques-unes de celles, passées sous silence, de cette merveille, le rhum, nectar, tout droit extrait du jus de la canne à sucre.

Grappe blanche fraîchement distillée, ou rhum ambré, vieilli en fût de chêne, le rhum est la boisson commune au riche et au pauvre. Il est en outre infaillible panacée.

Aseptisant, cordial, révulsif, il a toutes les vertus. Frictions, compresses, bains, il calme la douleur, rafraîchit, ranime, décongestionne… Il suffit d'en avoir l'expérience.

Choix

De nombreuses marques de rhum sont offertes sur le marché. Eviter avec soin ce qui est communément appelé rhum d'épicerie et que le public, faute d'en connaître d'autres, réserve aux grogs contre la grippe ou aux préparations culinaires.

Le rhum, alcool fruité, jus fermenté de canne à sucre, entre en compétition avec les meilleures eaux de vie. Il coûte moitié moins que la plupart d'entre elles. Il sert avant tout à l'apéritif.

Faut-il au moins savoir le choisir. Les étiquettes de fantaisie écartées, on doit s'attacher à celles qui mentionnent le nom du propriétaire ou du terroir d'origine. Le degré d'alcool est généralement indiqué lui aussi. On trouve dans le commerce du punch tout prêt, en bouteille. Dosé, parfumé au zeste de citron vert, il ne lui manque que d'être rafraîchi. D'autres maisons offrent du punch spécialement fabriqué à la noix de coco, à la prune de monbain, à la pomme-de-liane, etc. A la vérité il s'agit de boissons apéritives à base de rhum, mais qui ne sont pas le vrai punch. Elles sont toutes aussi délicieuses les unes que les autres. Mais la faveur du connaisseur va à l'apéritif dosé, parfumé, glacé au goût de chacun. Celui qui crée, où que l'on soit, une atmosphère de chaude cordialité, qui évoque la joie de vivre au grand soleil.

Voici la recette extrêmement simple du **punch antillais**

Punch antillais

⅓ **de sirop de sucre**
⅔ **de rhum entre 45 et 55°**
1 glaçon

La lamelle de citron vert s'ajoute au punch de rhum blanc, qu'elle parfume. Le rhum vieux, plus capiteux, s'en passe.

Le sirop de sucre est facile à fabriquer à la maison. 1 ½ verre d'eau pour une livre de sucre. Faire bouillir 7 à 10 minutes. Y jeter une coquille d'œuf, ou un jus de citron qui le clarifient.

Un proverbe antillais affirme que «Punch ou baiser, le second est plus dangereux que le premier». Il convient en effet d'user modérément du punch. Le contenu d'un verre à porto suffit à une très appréciable euphorie. Au second punch l'agrément tourne à l'excitation. Au troisième la tête déjà s'alourdit. Quant au quatrième il menace l'intégrité du self-control.

Voici maintenant quelques utilisations inédites du rhum.

Melon-apéritif

Choisir des melons moyens, 1 pour 2 convives. Les tenir au frais. Préparer le mélange :
    Par convive : 2 carrés de sucre de canne, ½ cuillerée d'eau. Faire fondre. Ajouter ½ verre à porto de rhum vieux. Bien remuer. Verser dans le melon rafraîchi débarrassé des pépins.

Boissons

La bavaroise

Pour 4.

> **1 l de lait**
> **2 cuillerées à bouche de sucre**
> **1 grand verre de rhum blanc**
> **1 zeste de citron**
> **Noix de muscade râpée**

Faire bouillir le lait avec le zeste de citron et une grosse pincée de muscade râpée. Sucrer. Ajouter le rhum. Faire mousser copieusement à la batteuse. Servir chaud.

Cocktail nuit blanche

Pour 4.

1 l de lait
2 œufs
2 cuillerées de sucre
1 verre de rhum vieux
Ecorce de cannelle

Faire bouillir le lait avec l'écorce de cannelle. Sucrer. Laisser refroidir. Séparer les jaunes d'œufs des blancs. Tourner les jaunes à la cuiller. Verser dessus le lait froid. Ajouter le rhum. Battre vigoureusement. Servir très frais.

Planteur

1 l de jus de fruit : ananas, orange, citron ou goyave, etc.
2 cuillerées de sucre
2 verres de rhum blanc

Mélanger le jus choisi au rhum, sucrer. Bien remuer. Servir frais agrémenté d'une rondelle de fruit frais, dans un grand verre où flotte un glaçon. (Avec une paille.)

Cavalier

Rhum vieux
Eau minérale gazeuse non sucrée
(eau de Didier antillaise par exemple)

Rhum à volonté dans un verre à whisky. Mouiller avec l'eau minérale. Ajouter un glaçon.

Punch coco-maison

1re version

1 noix de coco sèche
1 pot de 300 g environ de lait condensé sucré
1 litre de rhum

Casser la noix de coco. Extraire la pulpe, séparer au couteau le blanc de l'écorce brune. Le passer à la râpe fine.

Presser, laver d'un verre d'eau chaude la pulpe ainsi moulue pour en extraire le maximum de jus. Mélanger à la batteuse le jus avec le lait condensé sucré. Ajouter ensuite le rhum blanc. Doser selon le goût. Se conserve au frais. Se garde un bon mois. Agiter fortement au moment de servir.

2e version plus raffinée pour les gourmets plus patients

Prendre 1 litre de rhum blanc le plus fort possible, 1 noix de coco sèche, sans fêlure à l'écorce. S'assurer en la secouant qu'elle contient encore du lait. Percer 1 des 3 «yeux» du sommet pour la vider. La remplir de rhum blanc. Boucher hermétiquement au liège.

Au bout de 3 à 4 semaines, ouvrir. Remplir de nouveau. Le premier rhum est en effet absorbé par la pulpe du fruit. Boucher de nouveau. Cacheter même à la cire.

Après 4 ou 5 nouvelles semaines, déboucher. Le liquide obtenu se conserve indéfiniment. Clair, léger, ambré, il peut s'ajouter pour moitié au rhum ordinaire. Donne avec le sirop de canne à sucre un punch très finement parfumé à la noix de coco. (Avec ou sans glaçons.)

Soda-maître

Rhum blanc
Soda
Citron

Rhum à volonté dans un grand verre. Ajouter une lamelle de citron vert. Un glaçon. Remplir le verre de soda.

Cocktail capresse

Pour 6.

1 l de lait
4 cuillerées de sucre
3 cuillerées de chocolat
3 jaunes d'œufs
2 grands verres de rhum
1 bout d'écorce d'orange

Faire fondre sucre et chocolat sur le feu dans le lait, avec l'écorce d'orange. Laisser refroidir. Verser lentement en tournant sur les jaunes d'œufs. Ajouter le rhum. Mettre au frais. Faire mousser à la batteuse au moment de servir.

Boisson fraîche dite « thé antillais »

A l'écorce de citron, choisir un citron vert, sucre, rhum blanc.

Eplucher le citron à moitié. Mettre l'écorce au fond de la théière. Verser l'eau bouillante. Laisser infuser 10 minutes. Boire glacé. Avec un filet de rhum blanc. Sucre à volonté. 1 rondelle de citron.

A l'écorce d'orange, servir avec une rondelle d'orange fraîche. Les mêmes se consomment fumantes pour aider à la digestion ou prévenir la grippe.

Maïsset

1 l de rhum blanc
5 brins de menthe
1 cuillerée d'huile d'anis
100 g de sucre de canne

Laisser tremper les brins de menthe au moins huit jours dans un grand verre de rhum blanc. Filtrer. Faire un sirop de sucre avec le sucre tout juste mouillé. Mélanger avec le reste de rhum, le sirop, l'huile d'anis, le verre de rhum à la menthe. Agiter très fort.

Utilisations du rhum en pâtisserie rapide de secours

Garder toujours à la maison en prévision d'un goûter surprise : quatre-quarts, gâteau de Savoie ou génoise, gâteau breton (du commerce). Un flacon à large goulot, où raisins secs ou pruneaux macèrent dans du rhum blanc. Un autre où zeste de citron, ou zeste d'orange trempe également dans du rhum blanc.

On plonge alors dans les provisions courantes de chocolat en poudre, d'œufs, de confiture, de fruits frais ou au sirop, de fromage frais, yogourt, au besoin, crème fraîche pour confectionner en quelques minutes un gâteau maison frais et succulent.

Voici quelques exemples.

1 gâteau breton
½ verre de rhum vieux
2 cuillerées de sucre semoule
2 cuillerées de chocolat
1 cuillerée de marmelade d'orange
50 g de fromage blanc sec (à défaut,
1 yogourt)

Battre ensemble chocolat, sucre, fromage blanc. Ajouter la moitié du rhum. Ajouter la confiture. Couper le gâteau en 2 rondelles (comme 2 assiettes). Arroser les rondelles du reste du rhum. Garnir celle du bas de la crème froide obtenue. Recouvrir de l'autre.

Présenter, le haut garni de carrés de fruits confits, de dés de fruits frais, de pruneaux dénoyautés... selon fantaisie.

1 gâteau de Savoie
1 œuf
1 cuillerée de sucre semoule
1 cuillerée de chocolat
1 cuillerée de rhum (en principe par
personne)

Mais 3 ou 4 cuillerées de chaque chose suffiront pour quatre ou cinq parts.

Faire fondre sucre et chocolat bien battus dans les jaunes. Tourner jusqu'à consistance lisse. Ajouter les blancs battus en neige ferme, puis le rhum. Couper le gâteau en 2 disques.

Répartir la moitié de la crème sur la première tranche. Recouvrir de la seconde tranche. Servir frais en arrosant les parts du reste de la crème chocolatée.

1 génoise ou un quatre-quarts
Confiture d'ananas
Pruneaux ou raisins secs macérés
dans du rhum
Crème fraîche

Couper le gâteau en 2 moitiés, dans toute sa largeur. Séparer le rhum des fruits. En arroser la première moitié du gâteau. Puis garnir d'une couche de confiture. Recouvrir de la seconde moitié. Avant de servir, napper de crème fraîche. Garnir le haut des raisins ou des pruneaux dénoyautés, coupés en dés.

Fruits, légumes, crustacés, etc.

Grâce au transport aérien fruits et légumes tropicaux de plus en plus variés sont amenés dans un état de fraîcheur parfaite et sont offerts à une clientèle sans cesse élargie sur les marchés les plus lointains.

Mieux les consommateurs seront renseignés et meilleur sera le parti qu'ils en tireront.

Ananas

Choix

Se choisit comme le melon, à l'odorat. Eviter pourtant le fruit qui reste trop vert d'en haut alors que le reste semble bien mûr. Préférer la couleur rousse au jaune d'or.

Présentation nature

Laver le fruit avant de l'éplucher, si on veut ensuite utiliser les peaux qui parfument très agréablement l'eau de boisson pourvu qu'elles y soient laissées 48 heures.

Une fois l'ananas pelé, enlever les «yeux» à la pointe du couteau. Couper en tranches minces. A manger nature, ou selon le goût, apprêté avec : sucre en poudre, 2 cuillerées et rhum vieux, ½ verre.

Laisser alors 1 heure au bas du frigidaire.

Autre présentation nature

Faire sauter la queue et le bouquet de feuilles de l'ananas. Le couper, selon grosseur et le nombre de convives en 5 ou 6 tranches longi-

tudinales. Détacher la chair au niveau de l'é-
corce, en évitant d'en garder les «yeux».
Séparer la tranche du fruit ainsi obtenue en 8
ou 10 lamelles triangulaires, larges de 5 à
6 mm. Les ranger en quinconce au creux de
leur gondole d'écorce.

Servir frais. Le bouquet vert au milieu, les
barquettes autour en corolle.

Salade

Pour une salade de fruits, préparer l'ananas en
tranches, puis couper les tranches en dés. A
mélanger avec carrés de banane, tronçons
d'orange, dés de pomme, etc., saupoudrés de
sucre, arrosés ensuite de rhum blanc ou vieux.
Rafraîchir.

Jus

Laisser tremper 3 ou 4 heures chair et peaux
dans 1 ½ litre d'eau froide. Passer au moulin à
légumes. Couler. Sucrer. Ajouter le jus de 1
citron. Rafraîchir.

Compote

Peser la chair de l'ananas épluché. Prendre les
trois quarts du poids de sucre, le quart d'eau.

Faire un sirop léger. Y ajouter l'ananas. Faire cuire 30 minutes avec 1 zeste de citron. L'ananas sera coupé en tranches fines, en dés, ou râpé, à volonté.

Confiture

Préparer l'ananas épluché, coupé en tranches ou en dés. Peser. Prendre quantité égale de sucre. Mettre à feu moyen sans eau. Cuire 50 à 60 minutes, jusqu'à en obtenir un sirop épais.

Brioche fourrée à l'ananas

Préparation à froid : 15 minutes.
Pour 6 à 8 personnes.

> **1 brioche de 400 à 500 g**
> **200 g de compote d'ananas**
> **125 g de fromage blanc crémeux**
> **125 g de kernelles et cacahuètes mélangées, concassées**

Enlever la calotte de la brioche. En garnir l'intérieur de ces ingrédients bien brassés ensemble. La recouvrir. Servir par tranches.

Aubergines

Aubergines au citron frais

Temps de préparation et cuisson : 1 heure.
Pour 4.

> **4 aubergines moyennes**
> **1 gousse d'ail pilé (selon goût)**
> **1 jus de citron**
> **3 cuillerées d'huile**
> **Poivre, etc.**

Laver, étêter les aubergines. Les couper chacune en deux dans le sens de la longueur. Les faire cuire dans leur peau, dans très peu d'eau salée, en utilisant une marmite à couvercle bien ajusté, 18 à 20 minutes. Les faire soigneusement égoutter ensuite pendant 1 heure. Les servir froides avec une sauce courte, le jus de citron bien remué avec l'huile. Ail et poivre à volonté.

Aubergines aux petits oignons

Préparation et cuisson : 50 minutes.
Pour 4.

> 4 aubergines moyennes
> 25 à 30 petits oignons
> 100 g de lard de poitrine en dés
> 4 cuillerées d'huile
> 2 cuillerées de beurre
> Ail
> Thym
> Laurier

Laver les aubergines, les étêter, les laisser dans leur peau, les couper en deux en longueur. Frotter d'ail la surface ouverte. Placer dans un plat en pyrex. La peau au fond. Saler légèrement. Ranger les dés de lard, les petits oignons dans les interstices. Verser l'huile. Ajouter une ou deux cuillerées d'eau au fond du plat. Disposer le beurre en noisettes sur les aubergines ouvertes. Poivrer à volonté. Bouquet garni. Faire cuire à feu moyen pendant ¾ d'heure.

Note.

Peut aussi se faire à la vapeur sur feu doux. En ce cas couvrir hermétiquement. Laisser cuire à feu doux, même temps. Choisir un récipient lourd : fonte ou pyrex convenant aux cuissons lentes.

Beignets d'aubergines

Compter une aubergine moyenne par personne. Eviter d'en choisir de grosses, sphériques. Les longues conviennent mieux. Préparer une pâte à frire : 1 cuillerée de farine par aubergine. Laver les aubergines. Les étêter. Les couper en rondelles minces : 3 mm. Passer dans la pâte à frire. Jeter dans l'huile chaude. Enlever dès que bien doré. Faire égoutter. Saler. Servir chaud.

Aubergines farcies

Préparation : 1 ½ heure.
Pour 4.

> **4 belles aubergines**
> **150 à 200 g de restes de viande**
> **Epices**
> **50 g de beurre**
> **Pain**
> **Lait pour la farce**
> **50 g de jambon**

Laver les aubergines, les couper en 2 en longueur, les vider à moitié de leur chair. Préparer une farce très relevée avec la viande, le jambon, passés au moulin, puis passés à la poêle et assaisonnés selon le goût. Malaxer, avec la mie du pain trempée dans le lait puis pressée, la chair des aubergines qui doit être onctueuse et bien liée. Remplir de farce les aubergines. Les placer dans un plat beurré allant au four. Laisser cuire 1 heure à four moyen. Servir chaud, saupoudré de chapelure et garni de persil frais.

Avocat

Choix et utilisation

La couleur importe peu. Le fruit peut être vert pâle, (dit avocat blanc), ou vert sombre ou même brunâtre, auquel cas il devient couleur prune en mûrissant.

La forme non plus ne signifie pas grand-chose. Le col long rappelant la poire, la peau mince sont en général indices de bonne qualité. Mais le fruit rond peut avoir chair tout aussi onctueuse.

Les moins savoureux ont la peau très luisante, grumeleuse, épaisse. L'avocat qui déjà dore par places est à bon point de maturité. Celui dont le noyau détaché de la pulpe roule dans le fruit quand on l'agite aussi. Mais que le noyau tienne, l'avocat vaut tout autant. L'avocat encore un peu ferme sous le doigt ne sera bon à manger que dans deux ou trois jours. Celui qui cède franchement à la pression ne doit pas attendre. S'il est carrément dur et doit mûrir à la maison, il faut le passer à l'eau froide, le sécher, puis le garder au tiède dans du papier de soie ou du linge doux. Eviter le contact du verre et des fruits à zeste : orange, citron, pamplemousse. L'avocat se consomme toujours cru. Tel quel ou salé, associé à des préparations très relevées, de viandes ou de poisson. Il n'est pas question de le sucrer. Encore moins de le faire cuire. Il a aussi nom de beurre végétal.

Avocat l'ami Pierre

Préparation : 20 minutes.
Par convive :

> ½ **avocat**
> 1 **hareng mariné**
> 1 **échalote**
> 50 g **de riz**
> 1 **tomate**
> ½ **cuillerée d'huile**
> ½ **citron**
> **Poivre**
> **Ail**
> **Persil**
> **Piment frais**

Faire cuire le riz à l'eau salée. Hacher fin les harengs, les échalotes, le persil, assaisonner de piment, de citron, d'ail, lier à l'huile. Garnir chaque moitié d'avocat de cette farce froide. Présenter sur un fond de riz, orné de rondelles de tomates.

Avocat en couronne vert-pré

Préparation : 20 minutes.
A froid.

> **2 avocats**
> **6 œufs**
> **Petits oignons au sel, une vingtaine**
> **Persil**
> **Ail**
> **Sel**
> **Poivre**
> **Estragon en poudre**
> **3 cuillerées d'huile**
> **1 citron**

Écraser à la fourchette la chair des avocats, ajouter la poudre d'estragon (ou de la civette hachée fin, selon préférence), saler. Délayer avec l'ail passé au presse-ail, l'huile, le jus de citron. Faire durcir les œufs. Séparer les blancs des jaunes. Du blanc, faire 12 barquettes à garnir du beurre d'avocat réalisé. Pulvériser les jaunes, étaler au centre du plat de service. Entourer des barquettes. Garnir des petits oignons. Encercler de persil frais.

Timbale d'avocat au maigre

Préparation : 10 minutes.

Par convive, ½ avocat.

A garnir avec une farce liée à l'huile fine assaisonnée d'un jus de citron, d'une pointe de poivre et de fines herbes. La farce est faite de : olives en dés, noires et vertes mélangées dans du jaune d'œuf dur pulvérisé ; *ou* champignons de Paris crus en salade, garnis de quartiers de tomates ou de dés de betterave ; *ou* fruits secs grillés : noix, kernelles, cacahuètes, amandes grossièrement pilées, salées, garnies de persil ; *ou* cœur de palmier coupé en dés également assaisonné, rehaussé de rondelles dorées de jaune d'œuf dur ; *ou* rondelles de concombre ayant bien dégorgé, mêlées avec hachis très relevé d'échalotes, de petits oignons crus, de câpres.

Timbale d'avocat au gras

Préparation : 10 à 15 minutes.

½ avocat par personne
Farce variée

On peut composer cette farce, selon goûts et circonstances, de :

a. restes de rôti passés à la machine. Les amalgamer avec riz cuit à l'eau parfumée d'herbes (restes de purée ou de salade de pommes), les assaisonner généreusement de moutarde. Lier avec huile fine ;

b. restes de ragoûts, de porc en particulier. Une pointe de piment, des herbes fines, une cuillerée de riz ou de purée ;

c. un filet de poisson bouilli, ou thon au naturel, bien écrasé, lié avec de l'huile, des épices, un jus de citron ;

d. une salade de crabe très épicée ;

e. un buisson de crevettes décortiquées assaisonnées de vinaigrette ;

f. un hachis très épicé de harengs, anchois ou morue pochée, relevé de câpres ;

g. un buisson de moules préparées au vin blanc très aromatisé.

Veau froid au beurre d'avocat

Préparation : 15 minutes.
Pour 6.

> **12 tomates de petite taille, rondes**
> **2 avocats moyens**
> **6 tranches de veau froid**
> **1 laitue**
> **2 œufs durs**
> **Sel**
> **Poivre**
> **Ail**
> **1 citron**
> **Huile**

Vider avec soin les petites tomates de leurs pépins. Préparer une mayonnaise verte ou du «beurre d'avocat» : bien mélanger la chair des avocats écrasée à l'huile, le sel, l'ail passé au presse-ail, une pincée de poivre, le jus de citron, les jaunes d'œufs durs réduits en farine. Remplir les tomates de cette farce. Les recoiffer. Les servir avec le veau froid, garnir de feuilles de laitue.

Manioc en féroce apprivoisé

Ou accommodé en fausses
saucisses vertes pour
apéritif ou hors-d'œuvre.

Préparation : 10 minutes.
A froid.

> **250 g de manioc**
> **250 g d'avocat (hors noyau)**
> **Quelques feuilles de laitue**
> **100 g de beurre d'anchois**
> **Une forte pincée de piment en poudre**
> **3 cuillerées d'huile fraîche**
> **1 citron**
> **1 ou 2 gousses d'ail**

Ecraser l'avocat à la fourchette. Mélanger à
fond avec l'huile, l'ail pilé, le jus de citron.
Ajouter peu à peu le manioc. Bien remuer.
De la contenance d'une cuiller à dessert bien
pleine, faire une petite saucisse, roulée entre
les paumes. Enduire la saucisse de beurre
d'anchois. Saupoudrer de piment. Présenter
enrobé dans une feuille de laitue.

Macédoine morne rouge

Préparation : 15 minutes.
Pour 6.

> 1 avocat
> 8 tomates rondes
> 1 boîte (½ taille) de macédoine de
> légumes (ou restes de légumes d'ac-
> compagnement)
> 3 œufs
> 2 cuillerées d'huile
> Ail
> Sel
> 1 citron
> Poivre

Faire durcir les œufs et les couper en 4 quartiers chacun. Préparer une «mayonnaise» d'a-
vocat avec la chair écrasée, assaisonnée de sel,
poivre, ail, huile, jus de citron. Vider les
tomates de leurs pépins. Les garnir de cette
farce, bien mélangée à la macédoine de
légumes. Servir avec les quartiers d'œufs en
garniture, un peu de verdure autour.

Avocat en robe blanche (spécial maigre)

Préparation : 25 minutes.
Les quantités indiquées correspondent à une portion.

> ½ **avocat**
> 1 **cuillerée (30 g) de riz**
> ½ **morceau de cœur de palmier (en boîte)**
> **Persil**
> **Sel**
> **Ail**
> **Huile**
> ½ **citron**
> **Bouquet garni**
> ½ **oignon**

Faire cuire le riz dans de l'eau parfumée d'un bouquet garni avec 2 cuillerées d'huile, et les oignons coupés en quartiers. Couper les tranches d'avocat en dés, le cœur de palmier, à part, en rondelles. Préparer une sauce vinaigrette (avec le jus de citron en guise de vinaigre) bien assaisonnée. En arroser les dés d'avocat. Les placer en pyramide au centre du plat de service. Servir le riz en couronne tout autour. Dissimuler alors la salade d'avocat sous les rondelles de cœur de palmier. Egayer le plat de bouquets de persil.

La purée en joie

Préparation : 25 minutes.
Pour 4.

> 1 avocat
> 100 g d'amandes pilées et de ker-
> nelles
> 1 betterave
> 1 sauce vinaigrette au citron
> Purée de pommes de terre pour 4
> 1 banane mûre

Préparer l'avocat coupé en dés assaisonné de vinaigrette. Couper la betterave en dés, la banane en rondelles. La purée étant prête, la placer en pyramide au milieu du plat. Disposer autour en couronne, la salade d'avocat. Puis, en petits paquets alternés, de la betterave, des rondelles de banane mélangées aux amandes et kernelles.

Avocat pauvre monde

Préparation : 30 minutes.
Pour 4.

>   2 avocats
>   50 g de kernelles
>   50 g d'amandes salées
>   2 tomates
>   1 échalote
>   150 g de riz
>   ½ citron
>   ½ cuillerée d'huile
>   Poivre
>   Ail
>   Persil
>   Piment frais

Faire cuire le riz à l'eau salée. En faire 2 tas égaux. Hacher grossièrement les amandes et les kernelles salées. Hacher fin le persil, l'échalote, l'ail. Lier avec la moitié du riz à l'huile en ajoutant une pointe de piment frais. Remplir chaque moitié d'avocat de ce mélange. Coiffer d'une rondelle de tomate. Servir sur le reste du riz garni de rondelles de tomates, et de bouquets de persil.

Bananes

Généralités, choix

On en connaît de nombreuses variétés. Il y a d'abord, celles qui se font cuire. A l'eau froide salée. Vertes ou mûres elles accompagnent très bien viandes et poissons en qualité de légume. Mûres, cédant à la pression du doigt, portant enveloppe jaune, tournant au brun, elles donnent en daube, en beignets, de savoureux desserts.

De celles qui se mangent crues, la banane de l'espèce la plus couramment exportée, consommée comme fruit, au dessert, au goûter, est la mieux connue. Pourtant, verte, fraîchement cueillie, elle se mange, cuite à l'eau salée, comme légume d'accompagnement. Mûre, elle est d'un précieux appoint. Riche en sucre, en sels minéraux, elle est de digestion aisée. Sortie de sa pelure, elle présente une chair saine, jamais véreuse, agréable et facile à consommer.

Telle quelle, elle rehausse saveur et valeur nutritive d'une salade de fruits. Elle accompagne avantageusement les fromages cuits ou fermentés dont elle exalte ou tempère le fumet. Combinés à la banane, jambon froid ou rôti de porc acquièrent une saveur plus rare. Les initiés savent que le «blaff» de poisson blanc, bien chaud, bien épicé, fleurant le piment vert et le citron, s'allie avec bonheur à une bonne banane bien mûre et bien sucrée.

Bananes à cuire, vertes ou mûres, au sel

Faire sauter au couteau les deux bouts de la banane. Inciser la peau d'un bout à l'autre. Puis partager en deux tronçons. Mettre dans la marmite. Recouvrir d'eau froide. Saler. Laisser cuire 10 minutes si les bananes sont mûres (elles sont alors noires de peau et cèdent à la pression du doigt) et 15 minutes si les bananes sont vertes et fermes. Enlever la peau après cuisson. Servir tout chaud en accompagnement de viande ou poisson en sauce. Ex. : fricassée de poule, court-bouillon de poisson. Les bananes mûres sont nettement sucrées. Elles font valoir rôtis et viandes froides.

Bananes dites naines, généralement consommées au dessert

Se consomment cuites à l'eau et au sel, tant qu'elles demeurent vertes et fermes. En faire sauter le bout. Inciser la peau en longueur. Laisser les bananes entières. Les faire cuire à l'eau froide salée (15 minutes). Servir dans leur peau, en les sortant du liquide bouillant.

Ecarter les peaux du bout de 2 cuillers. Manger tout chaud (sinon elles durcissent). Accompagnent aussi viandes ou poissons. Ou se mangent au beurre.

Bananes en fruit, à froid

a. au fromage :
Servir avec un fromage cuit, gruyère, comté ou hollande.

b. au rhum :
Eplucher les bananes, les couper en tranches de 5 à 6 millimètres. Saupoudrer de sucre semoule. Arroser de rhum : un petit verre pour 2 bananes.

c. à la crème fraîche :
Eplucher, couper en tranches. Saupoudrer très légèrement de sucre semoule, arroser d'un jus de citron. Recouvrir de crème fraîche.

d. au café :
Eplucher les bananes. Les couper en tranches, Disposer sur le plat de service et recouvrir d'une crème «sabayonne», au café.

Crème «sabayonne»

1 œuf
1 cuillerée à dessert de sucre
1 cuillerée de rhum
1 cuillerée de chocolat ou de café en poudre

Séparer le jaune du blanc de l'œuf. Battre le blanc en neige ferme. Faire fondre le sucre dans le jaune en tournant à la cuiller. Ajouter chocolat ou café. Mélanger bien intimement. Verser le rhum, puis le blanc d'œuf. Se verse sur gâteau ou fruits. Servir frais.

Omelette aux bananes

Préparation : 7 à 8 minutes.

Pour 2 œufs, une grosse banane bien mûre
2 cuillerées de lait
3 cuillerées de beurre
Sel
Poivre
Une pincée de muscade râpée

Passer à la poêle sur feu vif les bananes épluchées et coupées en rondelles. Saupoudrer de noix de muscade. Préparer dans une autre poêle une omelette aux œufs versés entiers dans le lait, salés, poivrés, et battus à la fourchette. Incorporer les bananes bien dorées. Plier. Servir l'omelette en gardant l'intérieur bien baveux. En garniture : du persil.

Bananes cuites au four

Au sucre — en dessert
Préparation et cuisson : 15 minutes.
Pour 6.

6 bananes
3 cuillerées de sucre
50 g de beurre

Beurrer un plat allant au four. Eplucher les bananes. Les ranger entières sur le plat. Les saupoudrer de sucre. Ajouter le reste du beurre en petit tas. Laisser 10 minutes à four chaud.

Bananes cuites en daube

Préparation et cuisson : 20 minutes.

> **3 bananes**
> **3 cuillerées de sucre semoule**
> **2 cuillerées d'huile**
> **Zeste de citron ou**
> **poudre de cannelle**
> **½ verre d'eau**

Faire revenir les bananes épluchées et coupées en 2 tronçons par le milieu. Les faire bien dorer. Sucrer à feu vif et mouiller de la moitié de l'eau afin de les enrober de caramel. Saupoudrer de la cannelle. Mouiller du reste de l'eau. Couvrir pour 2 ou 3 minutes. Servir chaud.

Limon-bananas

Préparation et cuisson : 25 minutes.
Pour 4.

> **4 bananes bien mûres (un peu noir-**
> **cies même)**
> **4 cuillerées de sucre vanillé**
> **1 jus de citron**

Faire cuire la banane dans sa peau sur la plaque même du four (20 minutes à four
modéré). L'éplucher, la placer sur l'assiette de
service. L'arroser d'un jus de citron, la saupoudrer de sucre glace vanillé.

Bananes flambées

Préparation : 10 minutes.
Pour 6.

> **6 belles bananes bien mûres**
> **½ verre de rhum**
> **60 g de beurre**
> **3 à 4 cuillerées de sucre semoule**

Eplucher les bananes. Les faire revenir dans le

beurre chaud, à la poêle. Quand elles sont cuites, les saupoudrer de sucre qui les caramélise à feu vif. Faire chauffer le rhum dans une casserole. Le verser sur les bananes bien rangées sur le plat de service. Y mettre le feu immédiatement. Servir dans une salle obscurcie. Le mieux est de ranger les bananes sur le plat de service à la cuisine et de les flamber à la table même.

Bananes aux pruneaux farcis

Préparation : 20 minutes (en deux temps.)
Pour 6.

> **6 bananes mûres**
> **100 g de cacahuètes**
> **15 pruneaux environ**
> **3 cuillerées de sucre**
> **2 cuillerées de rhum blanc**

Faire tremper les pruneaux dans 2 verres d'eau, au moins 3 heures. Dans la même eau les pocher 10 minutes. Les sortir. Sucrer l'eau. Dénoyauter les pruneaux, sans les déchirer. les farcir des cacahuètes grossièrement pilées. Eplucher, couper les bananes en ron-

delles. Arroser de l'eau de cuisson des pruneaux à laquelle on a ajouté le rhum. Garnir
des pruneaux farcis. Servir frais.

Glace à la banane

> 1 l de lait frais
> (ou 1 boîte de lait condensé)
> 2 œufs
> 2 grosses bananes ou
> 3 moyennes
> 1 cuillerée de rhum
> 4 cuillerées de sucre semoule
> 1 pincée de sel

Faire bouillir le lait avec sel, sucre et zeste de
citron. Laisser refroidir. Ouvrir les bananes
pour en sortir le fil du milieu, les passer au
moulin. Mélanger intimement avec les jaunes
d'œufs. Battre les blancs en neige ferme. L'a-
jouter au mélange. Verser le lait froid, puis le
rhum en tournant à fond. Ne remplir la sorbetière qu'aux trois quarts.

Antillea

Goûter ou petit déjeuner hygiènique préparé à froid.
Le soir pour le lendemain, ou le matin pour l'après-midi.
Préparation : 15 minutes.
Pour 1 personne

> **1 cuillerée de farine de manioc**
> **1 banane**
> **1 citron**
> **2 cuillerées de crème fraîche**
> **1 cuillerée de chocolat en poudre**
> **½ verre de lait**
> **2 carrés de sucre de canne**

Frotter vigoureusement le sucre sur l'écorce du citron pour lui communiquer le zeste. Sucrer le lait que l'on verse sur la farine. *6 à 8 heures plus tard :* Eplucher une banane bien mûre. L'écraser à la fourchette. Lui ajouter le jus d'un demi-citron. Mélanger le tout. Servir en bol. Battre le chocolat en poudre dans la crème fraîche. S'en servir pour napper le bol. On peut à volonté remplacer le chocolat en poudre par ½ cuillerée de café très fort. Sans feu.

Pâté de fruits

Préparer une pâte comme pour une tarte pour foncer le moule et couvrir les fruits. 180 g de beurre, 300 g de farine, 1 pincée de sel, de l'eau.

Préparation et cuisson : 1 heure.

> **4 bananes**
> **1 citron**
> **2 oranges**
> **125 g de cacahuètes**
> **100 g de noix kernelles non salées**
> **3 œufs**
> **100 g de sucre semoule**

Séparer les blancs des jaunes d'œufs. Tourner les jaunes avec le sucre, le zeste du citron, gratté à la cuiller. Eplucher les bananes, les oranges. Passer noix et cacahuètes grossièrement au hachoir. Couper les oranges en quartiers. Ecraser les bananes à la fourchette. Les travailler vigoureusement avec les jaunes d'œufs sucrés. Ajouter ensuite les noix et cacahuètes, les quartiers d'orange, le blanc des œufs battus en neige ferme. Garnir la pâte. La recouvrir. Laisser cuire 30 minutes à four moyen.

Pommes fourrées de bananes

Préparation : 25 minutes.
Pour 6.

> **6 pommes.**
> **2 bananes**
> **3 cuillerées de beurre**
> **3 cuillerées de sucre**
> **1 filet de rhum aromatisé de citron**
> **(pour cela laisser 1 zeste 3 heures au**
> **moins dans ½ verre de rhum blanc)**

Choisir de grosses pommes à mettre au four. Les creuser en les vidant à moitié. Les fourrer d'une pâte faite des bananes écrasées avec 1 cuillerée de beurre et parfumée du rhum au citron. Couvrir ensuite de sucre en poudre. Couronner de noisettes faites du reste du beurre. Laisser 20 minutes à four moyen

Bananes vertes à cuire

Chips aux bananes vertes

Préparation et cuisson : ¼ d'heure.
Pour 6.

> **6 bananes à cuire, vertes, bien fermes**
> **1 citron**

Séparer les bananes de leur peau : fendre en longueur la peau de haut en bas, sans entamer le fruit. Enlever la peau. Citronner, laver. Couper les bananes en rondelles de 2 à 3 mm d'épaisseur. Les jeter dans la friture chaude. Après 3 minutes environ, égoutter, saler. Servir chaud.

Tripes aux bananes vertes

Préparation et cuisson : 2 heures.
Pour 4.

> **750 g de gras-double**
> **4 bananes à cuire vertes**
> **4 cuillerées d'huile**
> **Cive**
> **Bouquet garni**
> **3 oignons**
> **2 citrons**
> **1 verre de vin blanc sec**
> **½ verre de câpres**
> **Piment à volonté**

Laver, citronner largement le gras-double. Couper en gros dés. Eplucher et couper en dés les carottes, les oignons. Faire blondir dans l'huile, sur feu doux la viande, les carottes, les oignons. Assaisonner : herbes fines, bouquet garni, piment, selon goût. Mouiller de 2 verres d'eau, d'un verre de vin blanc. Laisser cuire à feux doux, 1 ½ heure. Pendant ce temps, laver les bananes en les frottant de l'écorce des citrons. En faire sauter les 2 bouts. Entailler la gaine dans le sens de la longueur, d'un bout à l'autre. Les jeter pour 10 minutes environ dans de l'eau salée bouillante. Sortir du feu. La peau s'enlève alors facilement. Les couper en gros dés. Ajouter aux tripes ¼ d'heure avant la fin de la cuisson. Ajouter les câpres au moment de servir, très chaud.

Soufflé de bananes

Préparation et cuisson : 50 minutes environ.
Pour 6.

> **6 bananes mûres**
> **4 œufs**
> **3 cuillerées de farine**
> **2 verres de lait**
> **80 g de beurre**
> **3 cuillerées de sucre vanillé**
> **2 cuillerées de rhum**
> **Zeste de citron**
> **1 pincée de sel**

Ouvrir les bananes en long pour enlever le fil médian. Les faire revenir dans une cuillerée de beurre à la poêle. Ecraser à la fourchette. Casser les œufs. Battre les blancs en neige ferme. Faire bouillir le lait avec le zeste sucré. Epaissir avec la farine délayée dans un ½ verre d'eau. Tourner, ajouter le sel, le reste du beurre, les bananes, le rhum, les jaunes. Lorsque la pâte est bien lisse verser les blancs. Bien mélanger. Verser dans le moule beurré. Laisser 20 minutes à four moyen.

Boudin

Boudin créole

Très fort en épices, d'une légèreté exception-
nelle, le boudin créole est très apprécié
comme accompagnement du punch apéritif ou
simplement comme hors-d'œuvre.

Il se trouve encore des ménagères pour le
préparer à la maison. La réussite est fonction
de la finesse et du dosage des graisses, de
l'usage étudié des épices.

Il s'en vend d'excellente qualité chez les
spécialistes, il n'est que de bien choisir son
fournisseur.

Pour le réchauffer à la maison, le laisser ¼
d'heure dans de l'eau bouillante, hors du feu
ou le passer rapidement à la poêle ou sur le
gril.

Chayottes ou christophines

La chayotte, genre de cucurbitacée originaire du Mexique, est cultivée aux Antilles. Introduite en Algérie, elle y est cultivée avec succès. Gros comme deux poings, ce fruit a une saveur délicieuse. La chayotte dite française a des fruits plus petits.

Chayottes en salade

Crue

Les choisir très jeunes. Les blanchir : plonger 2 minutes dans l'eau bouillante. Les éplucher. Enlever le cœur dur et blanc, couper en dés. Saler. Laisser reposer 1 heure. Séparer du jus. Assaisonner comme les autres salades.

Cuite

Choisir les chayottes mûres : leur robe est d'un blanc cassé (couleur coquille d'œuf) et il leur perce déjà un petit bout de germe. Les faire cuire à l'eau et au sel dans leur peau. Environ 25 minutes si elles sont coupées en 4 chacune. Les éplucher. Couper en dés. Assaisonner selon goût. La chayotte est saine, de digestion aisée. On la dit diurétique et très rafraîchissante. A ce titre beaucoup utilisent comme boisson le jus de la salade ou l'eau de cuisson du fruit. Surtout les hypertendus.

Potage aux chayottes

Préparation et cuisson : 1 heure.
Pour 6.

**2 chayottes
1 oignon
50 g de flocons de pommes de terre
50 g de beurre
1 citron
Sel
Poivre
1 ½ litre d'eau**

Sur deux feux. Faire cuire les chayottes dans leur peau, chacune coupée en 4. Les sortir de l'eau de cuisson que l'on garde. Enlever l'amande du milieu, écarter la peau. Passer au moulin. Prélever 2 verres de bouillon pour les délayer. Dans le reste verser les flocons de pommes de terre. Saler, poivrer. Mouiller à volonté. D'autre part, faire blondir au beurre l'oignon émincé, l'arroser du jus de citron, ajouter au potage. Servir chaud.

Chayottes ou christophines en soufflé

Préparation et cuisson : 1 ½ heure.
Pour 4.

> **500 g de chayottes (bien mûres)**
> **150 g de jambon ou de lard fumé**
> **2 verres de lait**
> **2 fortes cuillerées de farine**
> **2 cuillerées de beurre**
> **3 œufs**
> **Bouquet garni**
> **Poivre**
> **Sel**
> **Oignon**

Faire cuire les chayottes comme pour le gratin. Les éplucher, les passer de même au moulin. Faire revenir l'oignon émincé avec lard ou jambon en dés dans une cuillerée de beurre.

Les sortir. Dans le fond de graisse verser le lait, le parfumer des herbes et épices choisies. Laisser cuire en tournant deux ou trois minutes, puis épaissir avec la farine délayée dans un verre d'eau de cuisson des chayottes. Tourner pour éviter les grumeaux. Ajouter hors du feu à la sauce suffisamment tiède pour que les jaunes ne se solidifient pas, les jaunes d'œufs un à un en remuant bien. Verser sur le tout les œufs battus en neige ferme. Vérifier l'assaisonnement. Verser dans le plat à soufflé beurré. Mettre à four moyen pour 25 à 30 minutes.

Chayottes ou christophines au gratin

Préparation et cuisson : 1 ½ heure.
Pour 4.

> **500 g de chayottes**
> **(les choisir bien mûres, c'est-à-dire**
> **couleur de l'œuf)**
> **2 cuillerées de farine**
> **2 verres de lait**
> **60 g de beurre**
> **Epices**
> **Bouquet garni**
> **Fromage râpé 100 %**

Faire cuire les chayottes dans leur peau à l'eau froide salée (40 minutes). Ensuite les éplucher, les passer au moulin (débarrassées du cœur dur). Pendant leur cuisson, préparer une sauce épaisse : le lait aromatisé, salé, parfumé à volonté de thym, laurier, ail, etc., sera épaissi de la farine délayée dans de l'eau. Tourner pour avoir une pâte lisse. Ajouter la moitié du fromage, la moitié du beurre, puis les chayottes. Bien tourner. Vérifier l'assaisonnement. Verser dans un plat à gratin. Couvrir du reste de fromage et de beurre, puis de chapelure. Laisser prendre et dorer 25 minutes environ à four moyen. Servir chaud.

Choux

Choux à cuire
(racines et tubercules)

Les choux dits d'asheen

Se consomment exactement comme des pommes de terre à l'eau. En accompagnement de viandes ou poissons en sauce. Pour la préparation, garder ses gants de caoutchouc.

Gratter et enlever la peau noire avec le couteau à légumes avec soin. Laver à grande eau additionnée d'un jus de citron si possible. Couper en tranches de 4 ou 5 cm d'épaisseur. Recouvrir tout juste d'eau froide. Saler. Compter environ 15 minutes d'ébullition. Servir très chaud.

Le chou «d'asheen» à chair blanche ou argentée peut être exquis. Il s'agit de le choisir mûr à point. Farineux et sec il est très savoureux.

Le chou dit caraïbe ou chou malenga

Plus il est petit, meilleur il est. Il en existe deux variétés. L'aspect extérieur est le même.

Mais la chair plus ou moins ferme est plus ou moins blanche. Les choux dits blancs sont plus aqueux, plus fondants. Les autres dits «choux boutons» sont plus fermes, plus secs plus farineux. Les blancs, grattés, lavés, se traitent à l'eau et au sel comme les pommes de terre. Pour les purées et autres préparations, les «boutons» conviennent mieux.

Choux en migan créole

Préparation et cuisson : 30 minutes environ.
Pour 6.

> 1 kg de choux
> 1 cuillerée de beurre
> 1 oignon
> Piment (à volonté)
> 125 g de lard fumé ou 200 g de poulet fumé
> 2 cuillerées d'huile
> 1 gousse d'ail
> Fines herbes : thym, laurier (à volonté)

Gratter les choux à sec. Les laver, les brosser. Couper en gros dés. Placer dans une marmite avec le lard (ou poulet) coupé en dés, les fines herbes, l'ail, l'oignon coupé en quatre. Recouvrir d'eau. Saler. Laisser cuire 15 minutes. Sortir du feu. Battre énergiquement à la cuiller de bois en écrasant les morceaux. Ajouter le beurre, l'huile. Servir chaud en accompagnement d'un rôti ou d'une fricassée.

Gratin de choux caraïbes

Préparation et cuisson : 1 ½ heure.
Pour 4.

500 g de choux
½ litre de lait
50 g de beurre
150 g de gruyère râpé
Bouquet garni

Faire bouillir les épices dans le lait. Le passer. Gratter, laver les choux, couper en gros dés. Faire cuire à l'eau salée (20 minutes). Séparer de l'eau de cuisson. Passer au moulin, tout chaud, comme pour toute purée. Mouiller avec le lait bouillant et parfumé. Brasser pour alléger. Ajouter la moitié du fromage, la moitié du beurre. Verser dans un plat beurré, allant au four. Couvrir du reste du fromage, de quelques noisettes de beurre. Laisser 15 minutes à four modéré.

Soufflé de choux caraïbes au lait de coco

Préparation et cuisson : 1 ½ heure.

500 g de choux caraïbes
4 œufs
½ litre de lait
2 cuillerées de beurre
150 g de noix de coco râpée
Bouquet garni

Faire bouillir la noix de coco dans le lait. Passer. Gratter, laver les choux. Les faire cuire à l'eau salée (20 minutes). Séparer du bouillon. Passer tout chaud au moulin. Ajouter un à un les jaunes d'œufs en tournant bien. Verser peu à peu le lait chaud. Assaisonner selon le goût. Battre les blancs des œufs en neige ferme. Les incorporer. Ajouter les ¾ du beurre. Avec le reste beurrer le moule. Mettre à four chaud pour 25 à 30 minutes.

Citron

Choix et utilisation

S'il s'agit du zeste, le rechercher vert. Venu des Antilles, le citron tropical, guère plus gros qu'une grosse prune, grain fin, pores minuscules. Il est beaucoup plus parfumé et plus juteux que le citron méditerranéen.

A défaut, choisir le citron du Midi à l'écorce jaune pâle, encore striée de vert.

Pour la cuisine courante, préparation de viande, de poisson, ou de boisson au citron, choisir le citron doré, cédant sous le doigt. Ne pas négliger de le rouler sur la table sous la pression de la paume avant d'en extraire le jus.

Sauf dans le cas où il orne et doit être servi en quartiers, il faut peler le citron vert avant l'usage (récupération du zeste). Si on veut récupérer le zeste sans peler le fruit, il faut le laver. L'essuyer légèrement sans appuyer. Frotter ensuite énergiquement sur sa surface séchée des carrés de sucre de canne qui se chargent du beau zeste vert et gras.

Ce sucre se conserve en flacon clos, prêt à parfumer thé, crèmes, lait, etc. On peut également peler le citron et conserver le zeste dans un flacon que l'on remplit de sucre semoule.

Ou dans un flacon rempli ensuite de rhum, ce qui donne une essence à durée illimitée.

Ne jamais couper un citron dans le sens de la longueur. Ni autrement que sur une assiette.

Concombres

Concombres en beignets

Pour 6.

1 concombre de 500 à 600 g
150 g de pâte à frire (environ)

Choisir un concombre ferme et frais, d'un diamètre assez important.

Couper le concombre en rondelles épaisses. Plonger les rondelles une à une dans la pâte à frire (particulièrement relevée). Les jeter dans la friture bouillante. Les sortir aussitôt dorées. Servir chaud sur serviette ou papier absorbant.

Concombre farci à chaud

Choisir un concombre assez gros et bien avancé, (la peau jaunie un peu). L'éplucher. Lui enlever une rondelle au bout de façon à le vider de ses pépins. Le bourrer de farce. Le refermer. Faire revenir dans le beurre et l'huile par moitié. Laisser cuire à feu doux, bien couvert.

La farce

Utiliser des restes de rôti ou de ragoût, passés au hachoir, bien relevés d'ail, d'oignons hachés, de fines herbes. Les mélanger à de la mie de pain (40 g) trempée dans un verre de lait aromatisé, bien écrasée. Passer à la poêle avec un peu de beurre (½ cuillerée à dessert). Faute de restes de viande on peut utiliser lard ou jambon.

Concombre farci à froid

Préparation : 15 minutes + une mayonnaise.
Pour 6.

> **1 concombre vert de 500 à 600 g
> (rond, de gros diamètre)
> 150 g de noix pilées
> (les noix ou kernelles pilées peuvent
> être remplacées par des cacahuètes)
> 150 g d'olives noires
> 100 g d'anchois
> 1 dcl de mayonnaise hautement parfumée d'herbes fines**

Dénoyauter les olives, les couper en dés. Les mélanger avec les noix kernelles (ou les cacahuètes) en travaillant à la cuiller dans la mayonnaise. Ajouter les anchois pilés. Plonger le concombre entier dans l'eau bouillante (avec sa peau) pendant 1 ou 2 minutes. Lui enlever une rondelle de façon à le vider, le bourrer de la farce. Replacer la rondelle. Servir frais. En tranches de 3 à 4 centimètres d'épaisseur.

Potage sans feu

Froid.
Sans beurre ni huile.
Au yaourt (ou à la crème fraîche).
Préparation : 20 minutes. Le matin pour le soir.
Pour 6.

2 cuillerées de paprika de Hongrie
2 yogourts (ou 100 g de crème)
6 tomates
700 à 800 g de concombre
1 céleri en branche
3 oignons nouveaux
6 tranches de pain grillé
Herbes fines
Persil
Estragon
Cive
Noix de muscade (à volonté)
Epices

Laver, éplucher et couper le céleri en dés, les tomates en quartiers, les concombres et les oignons en tranches. Saler le tout. Laisser reposer au frais. Dans la soupière de service mettre les herbes hachées fin, le paprika, les yaourts (ou la crème fraîche). Bien tourner. Ajouter les tranches de pain frottées d'ail (selon le goût) puis les légumes gardés au frais. Servir froid, allongé d'eau froide, de glaçons. Bien assaisonné.

Corossol

Le corossol, assez volumineux, a souvent forme de cœur et toujours écorce verte. D'aspect trompeur d'ailleurs. Il porte, fausses épines, des aspérités qui n'ont rien d'agressif. Sa pulpe blanche et crémeuse cache des pépins noirs, vernis. Elle donne un jus sucré, légèrement acidulé.

Jus de corossol

1 fruit de 500 à 600 g
1 litre d'eau environ
Sucre à volonté

Choisir un fruit bien mûr, cédant bien sous le doigt, mais pas trop avancé. Enlever la peau. Epépiner. Broyer la chair, la passer dans un linge fin. Mouiller la crème ainsi obtenue. Sucrer. Servir frais.

Crabes ou tourteaux

Matoutou martiniquais

Préparation et cuisson : 1 ½ à 2 heures.
Pour 4.

> 2 tourteaux (environ 2 kg) (les exiger vivants)
> ou quatre crabes de terre
> 300 à 400 g de riz
> 2 tomates (ou 2 cuillerées de purée de tomates)
> 3 oignons
> 2 gousses d'ail
> 80 g de lard
> 3 à 4 cuillerées d'huile
> 1 cuillerée de beurre
> Bouquet garni
> Piment
> 2 citrons
> Safran (à volonté)

Laver les tourteaux à grande eau, les saigner (introduire une lame au défaut du ventre, sous les yeux, le tourteau étant maintenu sur le dos). Les citronner. Séparer la carcasse du corps. Couper chaque corps en 2 parties, chacune garnie des pattes. Séparer les pinces. Les concasser au casse-noix. Faire revenir dans un grand faitout les lardons, les oignons, les tomates fraîches coupées en quartier, l'ail, le tout dans le beurre et l'huile. Ajouter les crabes, en tournant. Ne pas omettre le gras et la chair logés dans la carcasse. Extirper les déchets noirs, la frange blanche, mais garder soigneusement la graisse brune et les œufs rouges.

Verser le concentré de tomates délayé dans un verre d'eau, et le safran. Laisser cuire 12 à 15 minutes. Sortir les morceaux de tourteaux. On aura eu soin de faire crever le riz à part dans une eau bien parfumée d'herbes. Le mélanger ensuite au fond de sauce dans le faitout. Bien remuer. Replacer les tourteaux pour 5 minutes dans le faitout. Servir le riz au milieu du plat. Les tourteaux autour en couronne. Bien chaud, sortant du feu.

La fricassée se prépare comme le matoutou, sauf qu'il n'y a pas de mélange de riz.

Fricassée de tourteaux

Préparation et cuisson : 50 minutes.
Pour 4.

> **2 tourteaux (environ 1 kg) (les exiger vivants)**
> **ou 1 kg d'étrilles**
> **3 tomates**
> **2 oignons**
> **2 gousses d'ail**
> **2 cuillerées d'huile**
> **50 g de beurre**
> **2 citrons**
> **Bouquet garni**
> **Piment**
> **Persil**
> **Sel**
> **Poivre (à volonté)**

Laver les tourteaux (ou étrilles), les saigner. Voir la recette du matoutou. Séparer les corps des carcasses, traiter les pinces et la coquille de la même façon. Faire chauffer les oignons dans l'huile avec les tomates et les épices. Ajouter les morceaux de tourteaux, bien blondir, tourner, arroser de jus de citron. Ajouter le beurre. Laisser cuire à feu moyen pendant 20 minutes. Servir chaud.

En accompagnement : ignames, bananes à cuire ou riz à la créole.

Tourteaux froids en salade

Préparation et cuisson : 50 minutes.
Pour 4.

> **2 tourteaux**
> **Sel**
> **Piment**
> **Citrons**
> **Oignon**
> **Bouquet**
> **Câpres**
> **Huile**
> **Ail**

Les tourteaux, lavés, brossés, sont jetés dans l'eau bouillante. Après 15 minutes de cuisson, les sortir, égoutter. Séparer le corps de la carcasse. Faire tomber la mousse blanchâtre coagulée. Nettoyer, concasser les pinces, les pattes. Partager chaque corps en deux morceaux. Vider les coquilles. Séparer le gras et les œufs (onctueux, brunâtre et rouge) des déchets qui sont noirs. Préparer au fond du plat de service une sauce avec : jus de citron, huile, ail frais pilé, persil haché fin, une pointe de piment, câpres, bien liés. Ajouter en remuant le gras et éventuellement les œufs puis la chair, les pattes, les pinces.

Crabes farcis

A faire avec des tourteaux de mer, faute de crabes de terre antillais à la chair beaucoup plus fine.
Préparation et cuisson : 2 ½ heures.
Pour 4.

> **4 tourteaux moyens**
> **60 g de lard ou jambon**
> **½ verre de lait**
> **50 g de mie de pain**
> **4 cuillerées de chapelure**
> **2 oignons moyens**
> **2 citrons**
> **2 cuillerées de beurre**
> **4 cuillerées d'huile**
> **Ail**
> **Bouquet garni**
> **Piment**

Laver, brosser les tourteaux. Les jeter dans l'eau bouillante salée. Au bout de 15 à 18 minutes, les faire égoutter. Leur enlever pinces et pattes. Séparer les corps des carapaces. Nettoyer un à un les corps, que l'on brosse d'abord, pour séparer ensuite en deux. Bien citronner. De chaque carapace extraire le gras, les œufs s'il y en a. Ils sont rouges, la graisse brune. Ecarter les déchets noirs. La carapace vidée, la laver, la réserver. Concasser ensuite pattes, pinces et corps avec un marteau pour en extraire la chair. A défaut de la fourchette spéciale, s'aider d'une brochette ou d'une aiguille à tricoter. Faire sauter lardons et oignons émincés dans l'huile. Ajouter la chair, le gras, le jus du 2e citron, l'ail pilé, le bouquet garni, le piment. Tourner environ 5 minutes sur le feu. Sortir du feu. Ecarter le piment. Passer le tout au moulin. Puis la mie de pain pétrie avec le lait auparavant. L'ajouter à la farce qu'on remet sur feu doux, avec 1 cuillerée de beurre, en tournant sans cesse. Vérifier l'assaisonnement. Sortir du feu. Garnir les coquilles, les saupoudrer de chapelure, couronner d'une noisette de beurre. Laisser 10 minutes à four moyen.

Crêpes

Quelques idées pour la présentation de crêpes, sucrées ou salées.

Crêpes aux bananes fraîches

Faire une crêpe épaisse. La remplir d'une banane coupée en rondelles fines. Recouvrir de crème fraîche. Rouler. Saupoudrer de sucre semoule vanillé.

Crêpes aux ananas en compote

Faire des crêpes fines. Garnir de compote d'ananas. Rouler, flamber au rhum blanc.

Crêpes aux ananas frais

Faire tremper des rondelles d'ananas saupoudrées de sucre dans du rhum. Rouler chaque crêpe sur une demi-rondelle. Servir chaud, arrosé du jus restant de rhum sucré.

Crêpes aux bananes cuites

Dans 3 louches pleines de pâte à crêpe ajouter deux bananes coupées en dés, 2 cuillerées de rhum blanc, deux blancs d'œufs en neige. Remuer. Verser dans la poêle chaude bien beurrée. La laisser cuire. La rouler. La saupoudrer de sucre de canne.

Crêpes aux kernelles

Jeter des noix de kernelles pilées dans la pâte à crêpe. Une cuillerée à soupe par louche de pâte. Faire les crêpes comme d'ordinaire. Les rouler. Les saupoudrer de sucre de canne.

Crêpes salées

Fourrées de farce de viande ou de poisson.

Avec une pâte à crêpe, faire des crêpes fines. Garnir chacune de farce bien assaisonnée et bien lisse. Utiliser restes de jambon, de poulet, de rôti, etc. Servir toujours chaud.

Giraumont ou potiron antillais

Variété de courge ou potiron, le giraumont antillais est sphérique, ou oblong. Il dépasse de beaucoup le volume d'une tête d'homme. Se présente en robe vert foncé, nuancé de jaune d'or. Sa chair de couleur orange plus vive que celle du potiron est aussi beaucoup plus ferme, moins aqueuse. Il se traite en acras, comme la carotte, en soufflé, comme la patate douce et donne d'excellents potages.

Potage

Pour 4.

1 tranche de 500 g de potiron
1 l de lait
⅓ l d'eau
Sel, beurre
1 brin de céleri

Eplucher, laver le potiron, faire cuire dans

l'eau avec le sel.

Séparer du bouillon. Passer au moulin.

Ajouter le lait bouillant. Verser sur le beurre et le céleri haché fin dans la soupière.

Peut se servir avec des croûtons.

Purée de giraumont

Pour 6.

> **1 kg de potiron**
> **200 g de patates douces**
> **ou 280 g de pommes de terre**
> **½ l de lait**
> **Poivre, sel**
> **50 g de beurre**

Faire cuire les légumes pelés et lavés dans de l'eau salée. Passer chaud au moulin. Mouiller du lait bouillant, battre avec le beurre, poivrer.

Gombo

Aux Antilles, on l'appelle «l'asperge du pauvre».

Le gombo (ou gombault?) serait originaire d'Amérique du Sud. Il nous vient aussi, en boîtes, des îles grecques. Très digeste, il a des qualités laxatives.

A choisir aussi tendre et jeune que possible. Durci et filandreux, il est à proscrire. A moins que l'on ne veuille en faire un shampooing, ce pour quoi il excelle.

En salade

Laver. Mettre à l'eau froide salée, l'eau venant juste à couvrir les gombos. 20 minutes de cuisson. Égoutter. Servir avec vinaigrette ou sauce mayonnaise. Se joint volontiers parmi des hors-d'œuvre variés à d'autres de haut goût, très épicés : boudin par exemple.

En soupe

Voir Calalou.

Calalou

1re formule

Préparation et cuisson : 1 ½ à 2 heures.
Pour 6.

> **300 g de gombos frais**
> **1 laitue de 500 g environ**
> **1 livre d'épinards**
> **2 oignons**
> **1 os de jambon**
> **60 g de beurre**
> **Bouquet garni**
> **Sel**
> **Poivre**

Laver, étêter, émincer les gombos en rondelles. Laver les épinards, la laitue, les hacher grossièrement. Faire cuire le tout avec l'oignon coupé en 4, l'os de jambon dans 1 ½ litre d'eau salée. La cuisson dure 30 minutes en cocotte minute, le double en faitout. Enlever l'os de jambon. Passer au moulin. Ajouter le beurre. Laisser mijoter à feux doux, 15 minutes. Vérifier l'assaisonnement. Servir à volonté avec des croûtons.

2e formule

Remplacer au besoin le gombo frais par ½ boîte de gombos en conserve. Les épinards par 4 grosses cuillerées de purée en boîte. L'os de jambon par 100 g de lard de poitrine fumé ou 200 g de jambon cuit. Dans ce cas :

Faire revenir dans le beurre jambon ou lard coupé en dés avec l'oignon. Faire cuire pendant ½ heure la laitue avec sel et bouquet garni dans ½ l d'eau. Passer au moulin avec les gombos. Remettre le lard sur le feu. Verser en tournant les épinards, gombos, laitue dessus. Mouiller, assaisonner à volonté. Laisser mijoter 10 à 15 minutes. On peut ajouter 1 carré de sucre à cause de l'âcreté des épinards. Servir avec des croûtons frits.

Goyave

Jus de goyave

> **1 livre de fruits**
> **1 litre d'eau**
> **Sucre à volonté**

Laver les fruits. Les passer au moulin à légumes qui garde les pépins. Étendre d'eau la crème obtenue. Sucrer selon le goût.

Sorbet à la goyave

> **1 kg de fruits**
> **1 litre d'eau**
> **150 g de sucre**

Préparer un jus avec moitié moins d'eau. Sucrer davantage. Mettre à la sorbetière.

Glace à la goyave

Même préparation que le sorbet avec moitié eau mais en plus 1 boîte de lait condensé ou 200 g de crème fraîche et 4 jaunes d'œufs frais.

Confiture de goyave

Temps de préparation et de cuisson : 1 ¼ heure.

500 g de fruits
500 g de sucre
250 g d'eau
1 brin de vanille

Laver, éplucher les fruits. Les couper en deux. Mettre à froid sur feu moyen avec le sucre et l'eau, la vanille. Laisser cuire 30 à 40 minutes.

Marmelade de goyave

Préparation et cuisson : 4 heures.

1 vanillon.
Poids à proportions.

Faire cuire 20 minutes la quantité de goyaves dont on dispose, avec la peau. Les fruits, coupés en deux, seront mouillés seulement à mi-hauteur. Passer au moulin après cuisson. Les pépins restent dans le moulin à légumes si la plaque choisie est la bonne. Peser la bouillie obtenue. Prendre un poids égal de sucre. Remettre le tout sur feux doux avec le vanillon. Tourner à la cuiller de bois juqu'à ce que la pâte se détache de la cuiller, sans couler (2 à 3 heures). Verser tout chaud dans un pot légèrement beurré. A consistance convenable, se découpe, froide en carrés de pâte de fruit.

Gelée de goyave

Prendre poids égal de sucre et de fruits sans défaut. Peler les fruits. Les couper en quartiers, les faire cuire 1 heure dans un sirop parfumé de vanille (utiliser le ⅓ du sucre pesé). Laisser refroidir. Passer dans un linge fin. Bien presser. Le mélange de pulpe ainsi obtenu est rose et relativement lourd. Le remettre sur feu doux avec le reste du sucre. Tourner à la cuiller de bois pendant 1 ½ heure au moins. (La pâte ne doit pas s'étirer en fil). Refroidie, elle se coupe à la cuiller. Se garde longtemps en pot de verre.

Igname

L'igname, tout au long de l'année est présente sur le marché. Certaines espèces doivent être immédiatement consommées. D'autres se conservent de longs mois.

Elle a, selon la saison et d'après la variété considérée, chair blanche ou jaune citron, sèche et ferme ou fondante, crémeuse. On cultive en France (en Eure-et-Loir particulièrement) une igname de petit calibre mais très fraîche et très agréable au goût.

Choix et utilisation

La choisir sans blessure. Les grosses, en tranches, à la coupure nette et blanche. Les petites, entières, fermes. Consommer sans attendre, en guise de légume, en lieu et place de la pomme de terre.

Cuisson et préparation

La séparer de sa peau. Couper pour cela en tronçons d'environ 5 cm. Éplucher en hauteur comme le concombre. Laver à l'eau froide. Puis faire cuire à l'eau froide salée. 10 à 20 minutes de cuisson, selon grosseur et qualité. Servir chaud.

Nota :
Il est bon, pour éplucher et laver l'igname de prendre soin ou d'enfiler ses gants de caoutchouc, ou de se citronner les mains avant de commencer.

Il existe de nombreuses variétés d'ignames. Les unes sont crémeuses et mollissent à la cuisson. Les autres sont fermes. Ces dernières râpées donnent l'illusion d'un plat de riz en grains. On peut les servir ainsi chaudes avec fromage râpé et beurre chaud.

Elles donnent, les unes et les autres, d'excellentes purées. Et même des soufflés très appréciés ou des croquettes à partir de la purée. Les traiter comme les pommes de terre.

Noix de coco

Jus concentré

1 noix
2 verres d'eau

Râper la chair blanche de la noix de coco préalablement brisée et dépouillée de son écorce. La mélanger à l'eau froide. Presser très fort à travers un linge fin.

Glace au coco

1 litre de lait
Le jus d'une noix
4 cuillerées de sucre
5 œufs
1 zeste de citron

Faire bouillir le lait avec le zeste de citron, le sucrer, le mélanger au jus de coco. Verser froid sur les jaunes d'œufs en tournant. Laisser bien refroidir avant de verser dans la sorbetière. Servir avec de petits gâteaux légers.

Sorbet au coco

1 litre de lait
Jus d'une noix
4 cuillerées de sucre
Vanille ou zeste de citron

Le sorbet se prépare comme la glace mais sans les œufs.

Farine de coco

1 noix de coco
750 g de sucre
Zeste d'un citron

Râper la noix de coco. La mettre dans une large cocote en fonte ou une poêle épaisse, avec le sucre, le zeste de citron, à sec sur feu vif. Tourner à la cuiller de bois jusqu'à complète dessiccation. La farine ne doit pas brunir.

Confiture de coco

1 noix râpée
600 g de sucre
1 zeste de citron
1 verre d'eau

Mettre le tout ensemble dans une casserole à feu assez doux. Remuer au début à la cuiller de bois. Laisser cuire au moins 1 heure. Au lieu de râper on peut couper en lamelles la chair de la noix de coco.

Tablettes de coco

1 noix
1 kg de sucre
1 zeste de citron
¾ d'un verre d'eau

Procéder comme pour la confiture. Quand la consistance de la pâte indique que le sucre est candi, poser par petits tas sur une surface de marbre huilé. Laisser refroidir. Se conserve plusieurs jours en boîte ou flacon clos.

Soufflé à la noix de coco

Préparation et cuisson : 50 minutes.
Pour 4.

> **125 g de riz**
> **4 œufs**
> **100 g de noix de coco râpée**
> **50 g de beurre**
> **Muscade râpée**
> **1 pincée de sel**

Faire cuire la pulpe râpée de la noix 10 minutes dans ½ litre d'eau. Passer, presser pour en extraire le jus. Faire cuire le riz dans cette eau. Au sortir du feu battre avec 1 cuillerée de beurre, la muscade, puis les jaunes d'œufs ajoutés un à un. Saler. Battre les blancs d'œufs en neige ferme. Les incorporer en remuant à fond. Beurrer le plat allant au four. Verser le mélange (qui ne doit pas le remplir jusqu'au bord). Laisser 15 à 20 minutes à four moyen.

Noix de coco en « ti-capresse »

Pour 1 noix de coco râpée
1 bout d'écorce de cannelle
½ litre de mélasse

Faire cuire la pulpe de coco avec la mélasse et la cannelle 1 ½ heure en tournant pour éviter qu'elle n'attache, sur feu très doux. Au besoin, mouiller d'un demi-verre d'eau au cours de la cuisson. Ranger en boules sur plaque huilée.

Noix kernelles

Kernelles ou noix de cajou aux œufs

Préparation : 1 heure.
Pour 6.

> **8 œufs**
> **150 g de noix de kernelles**
> **(ou cajou)**
> **150 g de fromage blanc sec**
> **Chapelure**
> **Epices**
> **Herbes fines : persil ou civette ou estragon… selon la préférence**
> **1 citron**
> **½ verre de lait**

Faire durcir 6 œufs. Les décortiquer, couper chacun en 2 barquettes, mettre tous les jaunes dans une jatte. Les écraser à la fourchette et les mélanger intimement avec le fromage blanc, lier avec quelques cuillerées de lait bouilli. Saler, poivrer. En faire une pâte bien lisse. La diviser en petits paquets que l'on roulera entre les paumes et auxquels on donnera la forme de petites pommes nouvelles. Pour en accuser l'aspect on roulera dans de la chapelure, puis on enfoncera des morceaux de noix concassées en guise d'yeux des pommes de terre.

Préparer d'autre part un grand bol de mayonnaise avec les 2 œufs restants. Partager ensuite en deux saucières différentes. Dans l'une on ajoutera des herbes hachées fin, dans l'autre une grosse cuillerée de paprika. Elles seront l'une verte, l'autre rousse. On remplira la moitié des barquettes de blancs d'œufs de sauce verte, l'autre de sauce rousse. Agencer sur le plat de service avec les fausses pommes de terre. Garnir de quelques brins de verdure, persil ou laitue.

Potage aux kernelles pilées

Préparation et cuisson : 30 minutes.
Pour 4.

> **500 g de potiron**
> **3 pommes de terre**
> **50 g de crème fraîche**
> **100 g de noix kernelles**
> **Sel**
> **Poivre**
> **1 ½ l d'eau**

Faire cuire puis réduire en purée les pommes
et le potiron. Mélanger à la crème fraîche.
Ajouter les kernelles pilées. Saler, poivrer.
Allonger avec l'eau de cuisson, à volonté.

Pain-bois ou fruit à pain

Le fruit-à-pain ou pain-bois est le fruit de l'arbre à pain ou jaquier.

Selon qu'il est plus ou moins parvenu à maturité, il a saveur et valeur nutritive très différentes. Un seul fruit cuit peut avantageusement remplacer le kilo de bon pain de froment et nourrir toute une famille. Vert, le même n'aurait plus que rôle et goût d'herbe cuite.

Choix

Gros comme une tête d'homme, rond, vert, la peau marquée de petits «yeux» dessinés en damiers réguliers. Plus les yeux sont aplatis et plus mûr est le fruit. La chair dure doit résister à la pression du doigt. Le fruit ramolli ne vaut plus rien.

Préparation et cuisson

Préparation assez délicate. Cuisson : 30 minutes environ.

Couper en tranches longitudinales comme un melon. Enlever au couteau la partie brune et aussi douze à quinze millimètres de la partie spongieuse qui y adhère. Eplucher la tranche épaisse de 4 à 5 cm qui demeure. Laver soigneusement les peaux vertes. Elles serviront pour moitié à foncer la marmite et à étendre sur les tranches blanches disposées, bien serrées, le dos en haut, au fond de la marmite. Saler. Mouiller d'eau froide couvrant à peine les peaux. Bien ajuster le couvercle de la marmite. Faire cuire à feu vif.

Le fruit à pain est meilleur si on glisse, au lieu de sel, un filet de morue salée ou un peu de lard dans l'eau de cuisson.

Pain-bois en « Migan »

Fruit à pain en « migan »

Préparer les tranches comme pour la cuisson simple. Les détailler en gros dés. Dans la marmite nue les mettre comme pommes ou carottes pelées, dans de l'eau froide, juste les couvrant. Ajouter des épices : ail, cive, feuilles odorantes, laurier ou bois d'Inde, un piment rouge, du jambon cuit ou une tranche de lard fumé, 1 cuillerée de beurre ou 2 ou 3 d'huile. La cuisson effectuée, remuer les morceaux en tournant vigoureusement à la cuiller de bois. On obtient de tous petits dés enrobés d'une délicieuse crème.

Pain-bois ou fruit à pain en purée

Pour 4.

½ d'un gros fruit
2 verres de lait (environ)
30 g de beurre
Bouquet garni
Sel
Poivre (à volonté)

Faire cuire le fruit à pain, comme indiqué, à l'eau et au sel. Séparer du bouillon. Le traiter à chaud comme les pommes de terre : passer au moulin, battre vigoureusement en mouillant de lait bouillant aromatisé d'herbes. (Doser le lait selon la consistance de la purée, celle-ci variant avec le degré de maturité du fruit.) Ajouter une noix de beurre. Manger chaud.

Pain-bois ou fruit à pain en croquettes

Pour 6.

> **La purée précédente**
> **2 œufs**
> **Levure alsacienne**
> **Vinaigre**
> **Farine**

Garder la purée un peu ferme. La travailler avec les jaunes d'œufs, 1 cuillerée à café de levure alsacienne, 1 filet de vinaigre. En faire des boulettes (grosseur d'une prune), rouler dans la farine. Jeter dans la friture chaude.

Pain-bois ou fruit à pain en soufflé

Pour 4.

> **La purée pour 4**
> **125 g de fromage râpé**
> **4 œufs**
> **2 cuillerées de beurre**

Travailler la purée avec les jaunes d'œufs un à un. Puis avec les blancs battus en neige. Ajouter le fromage râpé, sauf une cuillerée, la moitié du beurre. Beurrer ensuite un moule. Verser la purée. Saupoudrer du reste du fromage, couronner de noisettes de beurre. Mettre au four moyen pour 25 à 30 minutes. Servir chaud.

Pain-bois ou fruit à pain en salade

Restes de fruit à pain froid

A traiter comme les pommes de terre. A la vinaigrette, au vin blanc, au jus de citron, selon le goût. Se relève de noix de cajou concassées. Se mélange aussi à la laitue, aux tomates, au cresson pour la salade.

Cœur de palmier

Se consomme cru, sur place, puisqu'il faut abattre un arbre pour en avoir la moelle. Est extrêmement coûteux. Se trouve en conserve, en boîte dans le commerce. Est alors cuit. Une boîte en contient cinq à sept bouts plus ou moins tendres, baignant dans un liquide légèrement salé. Ce liquide, parfumé, peut servir comme fond de sauce ou de potage.

Le cœur de palmier se prépare en salade, comme le cœur de laitue ou d'artichaut. On peut en faire des croquettes, soufflés, beignets ou gratins.

Beignets

Utilisation des tiges les moins tendres. Les couper en rondelles de 3 à 4 millimètres. Plonger dans la pâte à frire. Jeter dans la friture chaude.

Croquettes

Passer les morceaux de tige au moulin. Mélanger un égal volume de pâte à frire. Vérifier l'assaisonnement : poivre, sel. Ajouter une pincée de levure alsacienne, le jus d'un demi-citron. Jeter par petits paquets (contenance d'une cuiller à café) dans l'huile chaude. Servir chaud.

Cœur de palmier au gratin

Préparation et cuisson : 45 minutes.
Pour 4.

> **1 boîte de cœur de palmier**
> **125 g de gruyère râpé**
> **60 g de beurre**
> **2 cuillerées de farine**
> **3 cuillerées de lait sec en poudre**
> **Epices selon le goût**

Séparer les tiges de leur eau. Les couper en tranches de 7 à 8 millimètres. Délayer à froid la farine et le lait sec dans l'eau de conservation. Faire ensuite cuire à petit feu en tournant doucement. Ajouter sel, poivre, épices en poudre : thym, laurier, en pincées, puis une grosse cuillerée de beurre, les rondelles de cœur de palmier. Beurrer un plat allant au four. Y verser la composition en deux temps. Sur la première couche étendre la moitié du fromage râpé. Sur la seconde, mettre le reste du fromage, puis en petits tas, le reste du beurre. Laisser 15 minutes à four moyen.

Cœur de palmier en soufflé

Cuisson et préparation : 1 heure.
Pour 4.

> **1 boîte de cœur de palmier**
> **3 cuillerées de farine**
> **4 œufs**
> **60 g de beurre**
> **3 cuillerées de lait en poudre**
> **(ou 1 ½ verre de lait frais)**
> **Epices selon le goût**

Passer au moulin le cœur de palmier. Mettre le lait sur le feu avec les épices (herbes à volonté). Epaissir avec la farine délayée dans l'eau de la boîte de conserve. Ajouter le cœur de palmier, puis une cuillerée de beurre tout en tournant. Sortir du feu. Aérer en tournant pour refroidir. Ajouter un à un les jaunes d'œufs. Bien brasser avec les blancs battus en neige ferme. La pâte doit être bien lisse. La verser dans un plat à soufflé bien beurré. Laisser à four doux 30 minutes.

Potage au cœur de palmier

Spécial sans beurre
Préparation et cuisson : 25 minutes.
Pour 4.

> **2 tiges de cœur de palmier**
> **½ botte de cresson**
> **100 g de fromage blanc**
> **Sel**
> **Poivre**
> **1 litre d'eau**

Faire cuire 20 minutes en cocotte minute le cresson salé. Passer au moulin. Ecraser le fromage blanc à la fourchette, lier avec le bouillon. Ajouter le cœur de palmier coupé en dés. Servir chaud ou frais.

Patates douces

Choix

Les choisir fermes, ne cédant pas trop à la pression des doigts. Sans blessures. Les humer. Eviter celles qui sont parfumées. Quand elles commencent à «tourner» elles sentent en effet très bon.

Cuisson

A l'eau. A utiliser comme des pommes de terre. Laver. Couvrir d'eau froide. Saler. Faire cuire (20 minutes environ). Les faire égoutter. Peler. Servir.

Patates douces en soufflé

Pour 6.

> 500 g de patates
> 125 g de fromage râpé
> 4 œufs
> 60 g de beurre
> ½ litre de lait
> Bouquet garni
> Sel

Laver les patates épluchées, dans de l'eau citronnée. Couper en gros dés. Faire cuire dans le lait salé et aromatisé d'herbes, à feu doux, 25 minutes. Séparer du lait. Passer au moulin, mouiller la purée ainsi obtenue avec le lait chaud. Ajouter 1 cuillerée de beurre frais, les jaunes d'œufs un à un en tournant, puis les blancs battus en neige ferme, et enfin le fromage râpé. Beurrer le plat à soufflé. Couronner de quelques noisettes de beurre. Cuire à four moyennement chaud pendant 30 minutes.

Patates douces en potage

Préparation et cuisson : 30 minutes.
Pour 6 à 8 personnes.

> **500 g de potiron**
> **250 g de patates douces**
> **100 g de fromage blanc**
> **1 brin de céleri**
> **Sel**
> **Poivre**
> **60 g de pain**
> **50 g de beurre**

Sur deux feux. Eplucher, laver, faire cuire patates et potiron dans 2 litres d'eau salée, poivrée.

D'autre part, faire dorer dans le beurre de minces croûtons (les 60 g de pain). Passer potiron et patates cuits au moulin. Ecraser le fromage blanc au fond de la soupière. Mélanger avec la purée sortie du moulin. Mouiller le tout de l'eau de cuisson. Ajouter le céleri cru haché, les croûtons. Servir chaud.

Patates douces au sirop

2 formules.

a. Poids de sucre égal à la moitié du poids de patates.

Eplucher les patates, les laver à l'eau citronnée, les couper en gros dés. Les mettre avec le sucre, 1 zeste de citron, juste recouvertes d'eau. Quand elles sont cuites, au bout de 30 minutes environ, la chair demeure tendre dans un sirop assez léger.

b. Sucre et patates à poids égal.

Préparer les patates de la même façon, mais ne les mettre que dans le sirop bouillant. Celui-ci doit être peu mouillé : ½ verre d'eau par livre de sucre. Le parfumer à volonté de zeste de citron, ou de vanille, ou de cannelle. Une cuillerée de jus de citron le rend clair et transparent. Les patates cuites dans ce sirop prennent la consistance des marrons glacés et ne sont pas moins savoureuses.

Patates douces en gâteau

Préparation et cuisson : 2 heures environ.
Pour 6 à 8 personnes.

> **500 g de patates**
> **4 œufs**
> **½ l de lait**
> **60 g de beurre**
> **400 g de sucre**
> **1 pincée de sel**
> **1 jus de citron**
> **Parfum : vanille ou cannelle**

Eplucher les patates. Les laver à l'eau citron-née. Couper en dés. Faire cuire dans le lait aromatisé et sucré. Réserver 2 grosses cuil-lerées de sucre pour caraméliser largement le moule. Après cuisson (25 minutes environ) écraser les patates, en faire une purée mouil-lée du lait de cuisson. Ajouter le beurre, puis le sel, incorporer un à un les jaunes d'œufs, puis les blancs battus en neige. Verser dans le moule caramélisé. Laisser au four moyen pen-dant une demi-heure.

Patates douces au chocolat

Mercredi des cendres
Préparation : 1 heure.
Pour 4.

500 g de patates douces
2 verres de lait
150 g de sucre cristallisé
1 zeste de citron
2 œufs
100 g de sucre glace
50 g de chocolat sucré en poudre
100 g de kernelles

Faire cuire les patates douces à l'eau pure, dans leur peau. Les éplucher après cuisson. Les passer au moulin. Verser le lait parfumé au zeste de citron et tout chaud sur les patates. Bien tourner. Ajouter ensuite les jaunes d'œufs. La pâte ainsi formée doit être assez ferme. Y incorporer les kernelles pilées. Puis bien mélanger. En faire alors de petites boulettes grosses comme un pruneau. Les rouler ensuite les unes dans le chocolat en poudre, les autres dans le sucre glace. Servir froid, en barquettes.

Patates douces en soupe caraïbe

Caraïbe : soupe-zabitant
Préparation et cuisson : 40 minutes.
Pour 6.

> 200 g de patates douces
> 250 g de potiron et carottes
> Laitue
> 200 g de blettes ou d'épinards
> Haricots verts
> Mange-tout
> 1 poignée de flageolets
> 1 oignon sec
> Bouquet garni
> 2 grosses cuillerées de beurre (60 g)
> Sel
> Poivre
> Fines herbes
> 1 ½ litre d'eau

Eplucher, laver, couper en dés potiron et patates douces. Laver, hacher grossièrement blettes et autres légumes verts. Faire revenir le tout avec l'oignon émincé dans la moitié du beurre. Mouiller, saler, poivrer. Ajouter les herbes. Laisser cuire à feu doux une demi-heure en cocotte minute. Passer au moulin. Servir avec le reste du beurre frais. On peut enrichir de croûtons dorés.

Pâte

Pâte à frire pour croquettes ou acras

Préparer autant que possible une heure ou deux avant usage.

> **200 g de farine**
> **2 verres de lait**
> **2 verres d'eau**
> **1 gros oignon**
> **1 gousse d'ail**
> **1 brin de cive**
> **Thym**
> **Laurier**
> **1 cuillerée de vinaigre**
> **½ cuillerée d'huile**
> **½ cuillerée à café de levure alsacienne**
> **Piment vert ou rouge, frais, à volonté**

Faire bouillir 10 minutes les épices dans l'eau, dans une casserole bien couverte. Passer au tamis. Faire refroidir. Mouiller la farine de ce liquide, de l'huile, du lait, en tournant. La pâte doit être bien lisse, salée, poivrée à souhait. Au moment de s'en servir ajouter la levure alsacienne puis le vinaigre.

Acras ou lozis

Menues croquettes

A la pâte à frire dont la formule précède, on mélange, à poids égal, une pâte faite à volonté de poisson pilé, ou de viande hachée (restes de rôti, de bouilli) ou de légumes râpés : choux caraïbes, choux malenga, carottes, navets assaisonnés selon le goût.

Acras de morue salée

Dessaler la morue au moins 6 à 8 heures d'avance. La pocher. Piler. Mélanger pâte et poisson pilé en quantités égales. Vérifier l'assaisonnement. Ne pas omettre la levure et le vinaigre. L'huile doit être chaude, pas fumante. Y jeter des petits tas gros comme une grosse olive. La pâte doit se détacher, pas couler de la cuiller. Agir vite. Sortir les croquettes dès que dorées. Les servir chaudes.

Autres acras

La morue dessalée peut être remplacée par des crevettes décortiquées, de la civelle, des éperlans, du cabillaud ou le filet de n'importe quel poisson frais préalablement poché, épicé, pilé. Pour les légumes les utiliser crus, râpés ou réduits en tranches minces.

Pâté

Pâté en pot

Potage de tradition spéciale pour les fêtes familiales en Martinique

Il est d'usage d'abattre un cabri ou un jeune mouton. Le pâté en pot est une ingénieuse utilisation des abats : tête, pieds, fraise, cœur, etc., de la bête.

En ville où il est rarement possible de réunir ces éléments, frais, on obtient un excellent pâté en pot avec les pièces désignées ici.

Préparation et cuisson : 4 à 5 heures.
Pour 10 à 12 personnes.

> 1 tête de mouton (à défaut, une langue)
> 350 g de fraise de mouton
> 500 g de plates côtes
> 1 cœur de mouton
> 2 pieds de mouton
> 1 pied de veau (facultatif)
> 2 ou 3 poireaux, pommes, carottes, navets, en tout 1 200 g environ
> 3 gros oignons ou 4 moyens

1 brin de céleri
½ l de vin blanc
80 g de beurre
Clous de girofle
Bouquet garni
Sel
Poivre en grains
½ verre de câpres

Laver, citronner, toute la viande. La faire cuire une heure en cocotte minute, le double en marmite ordinaire, dans 3 litres d'eau (mise à froid) avec bouquet garni, sel, poivre en grains, un gros oignon où l'on a piqué 3 ou 4 clous de girofle.

Pendant la cuisson de la viande, préparer les légumes : les laver, les éplucher, les couper en gros dés, les faire revenir crus au beurre sur feu doux. Saler. Garder hors du feu.

La viande étant cuite, la séparer du bouillon. La désosser. Passer au hachoir (plaque à gros trous) ou découper aux ciseaux en dés. Passer le bouillon de viande au tamis.

Ajouter la viande aux légumes. Remettre sur le feu. Mouiller d'eau à volonté, en plus du bouillon, puis du vin. Laisser mijoter au moins une heure. Placer les câpres au fond de la soupière. Servir chaud.

Ce plat gagne à se conserver au frais. Il est encore meilleur réchauffé.

Poissons et fruits de mer

Utilisation du poisson à la mode antillaise

Au four : de préférence mulet, dorade.

Grillé : thon en tranches, mulet, sardines.

Frit : éperlans, dieppois, tranches de cabillaud, de lieu, chauchard (coulirous), thon, colin, rouget.

Cuit à l'eau : colin, dieppois pour blaff.

Court-bouillon : dorade, rouget, thon, turbot, lieu, anguille, cabillaud frais.

Poisson à la mode antillaise

Choix

Le choisir ferme, frais. Sa préparation ne se conçoit pas sans citron, ni piment, frais si possible, confit au besoin. Nettoyer avec soin le poisson. Le laver généreusement. Quel qu'il soit, destiné à quelque préparation que ce soit, le laisser baigner après le nettoyage dans une saumure spéciale.

Saumure

Jus de citron, sel , poivre en grains, piment, ail pilé. Cette saumure peut servir ensuite à relever le goût de la sauce de présentation ou de la pâte à frire des acras à base de poisson.

Pour gagner du temps, garder au frigidaire un flacon de jus de citron salé et parfumé d'herbes et d'ail pilé à volonté.

Oignons et tomates plongés 2 ou 3 minutes dans l'eau bouillante se pèlent ensuite très aisément.

La préparation du poisson à l'antillaise étant absolument inconcevable sans citron ni piment il est opportun de se reporter au chapitre concernant les citrons antillais qui se trouvent couramment sur le marché des métropoles.

Les piments plus rares existent aussi. Il se gardent et se servent comme les pickles, pour rehausser la saveur de certains mets, poisson bouilli ou frit, viande froide. Il s'agit ici de vrais piments, à saveur très piquante. A ne jamais employer inconsidérément. A ne pas confondre avec les poivrons du Midi ou d'Espagne.

Quand nous disons piments nous entendons un fruit vert ou de toutes les nuances de rouge, de forme conique, allongée, les uns de 1 à 2 cm, les autres davantage selon qu'ils viennent des Antilles ou d'Afrique noire. Ce ne sont d'ailleurs pas les meilleurs. Les plus parfumés sont gros comme des pruneaux, comme eux, de surface irrégulière, mais ont la peau satinée, verte ou rougeâtre, la chair ferme. On en trouve dans le commerce.

On peut les conserver frais un certain temps, de 2 à 5 ou 6 semaines, si on a pris soin de les essuyer avant de les envelopper chacun dans une feuille de papier d'aluminium et de les placer parmi les autres fruits du frigidaire.

On les prépare autrement pour les garder dans un bain spécial. Avec des légumes tendres et frais : petits oignons, carottes nouvelles, concombres, petits pois, haricots verts, bien lavés, coupés en dés, on les place dans un flacon de verre. Saler légèrement. Recouvrir de vinaigre de vin. Peut durer des mois à la température ordinaire. On peut les recouvrir d'huile en place de vinaigre. Ils demeurent aussi forts, mais sont moins savoureux.

Poisson en blaff

Le blaff est la préparation la plus simple, la plus digeste et des plus savoureuses. Il convient aussi bien aux poissons à grosse chair (découpés en tranches dites «darnes») qu'aux petits poissons, qu'ils soient rouges ou blancs. Aux poissons gras comme aux chairs maigres.

La recette consiste d'abord à choisir du poisson bien frais. Le faire ensuite baigner dans une ample marinade 15 à 20 minutes au moins. Puis le faire cuire sans graisse, baignant à feu doux dans une eau fortement parfumée d'herbes et d'épices : thym, laurier, cive, civette (oignons dits «du pays» ou échalotes), 1 feuille de bois d'Inde, 1 piment vert.

Court-bouillon antillais

Préparation en deux temps. En tout 30 minutes. A 2 ou 3 heures d'intervalle.
1) Mise en saumure, 10 minutes. Laisser reposer 2 ou 3 heures.
2) Cuisson : 20 minutes.
Pour 4.

800 à 900 g de poisson coupé en tranches : dorade, lieu, thon, turbot.

2 citrons
2 oignons
3 tomates fraîches
1 cuillerée de concentré de tomates
Herbes : thym, laurier, cive, persil
Ail
Piment
30 g de beurre
4 cuillerées d'huile

Vérifier si le poisson est parfaitement écaillé. Le laver, intérieur compris. Ne pas jeter la tête, celle de la dorade par exemple ; bien parfumée, c'est le morceau de choix. Le citronner. Le mettre à tremper 2 ou 3 heures dans une saumure : jus de citron, sel, ail, cive, piment.

Après le passage dans la saumure, préparer la cuisson. Faire dorer dans moitié beurre, moitié huile, les oignons, 1 gousse d'ail, les tomates coupées en quartiers, ajouter les tranches de poisson. Les tourner. Arroser très chichement pour une cuisson à feu doux. Mouiller avec la purée de tomates délayée dans 2 ou 3 cuillerées de la saumure.

Au fond du plat de service, préparer une sauce froide : jus de ½ citron, 2 cuillerées d'huile, ½ gousse d'ail, du persil haché fin. Servir chaud. En accompagnement : riz à l'eau ou ignames.

Dorade aux petits oignons

Préparation et cuisson : 40 minutes.
Préparer en 2 temps comme pour le court-bouillon.
Pour 4.

> **1 dorade d'un kg environ**
> **300 g d'oignons nouveaux**
> **1 citron**
> **3 cuillerées d'huile**
> **Ail**
> **Herbes**
> **Bouquet garni**
> **Sel**
> **Poivre**
> **Piment**
> **1 tomate**

Pour mieux parfumer la chair de la dorade, piquer la partie la plus épaisse avec les dents d'une fourchette avant de baigner dans la saumure.

Prendre un plat allant au four. Y verser 3 cuillerées d'huile. Y placer le poisson sorti de la saumure. Ranger les petits oignons autour. Ajouter les herbes. Arroser d'huile, large-ment. Verser ensuite la saumure filtrée à la passoire. Faire cuire à four moyen 30 minutes. Servir chaud, entouré des petits oignons et d'une couronne faite de persil frais et de ron-delles de tomates.

Titiris (alevins)

Acras de titiris
Préparation et cuisson : 1 heure.
Pour 6.

>**300 à 400 g de pâte à acras**
>**500 g d'alevins**
>**2 citrons**
>**Sel**
>**Ail**
>**Piment**
>**Levure**

Préparer la pâte à acras (voir p. 123).

Laver les alevins. Les faire macérer dans jus de citron, sel, ail, piment. Laisser reposer le tout 25 à 30 minutes. Ajouter une cuillerée à café de levure alsacienne, le jus de ½ citron, bien tourner. Jeter dans la friture chaude en tout petits tas. Sortir dès que dorés. Faire égoutter. Servir chauds. (Accompagnent bien le punch apéritif.)

«Touffé» de titiris

Préparation, cuisson : 35 minutes.
Pour 4.

>   600 g d'alevins
>   1 citron
>   2 oignons
>   3 cuillerées d'huile
>   2 cuillerées de beurre
>   Sel
>   Piment
>   2 tomates
>   Bouquet garni

Préparer les alevins comme pour les acras : laver, citronner, laisser tremper dans la saumure très relevée. Faire dorer, oignons émincés, tomates coupées en quartiers, ail pilé dans l'huile et le beurre. Ajouter les alevins, le bouquet garni, du piment (selon le goût, il faut en avoir un entier, qu'il soit vert, ou rouge). Saler à volonté. Couvrir hermétiquement. Laisser cuire à feu doux, sans y ajouter une seule goutte d'eau. Environ 8 à 10 minutes.

Pisquettes ou éperlans à l'antillaise ou «collédeux»

Préparation et cuisson : 1 heure.
Pour 4.

> **400 g d'éperlans**
> **200 g de pâte à frire**
> **Epices pour la saumure et la pâte à frire (Voir p. 129).**

Bien laver les éperlans avant de les mettre entiers dans la saumure pour 1 ou 2 heures. Les mélanger à la pâte à frire. Faire chauffer peu d'huile, environ 1 cm au-dessus du fond de la poêle. Y jeter les poissons par couples. Renouveler l'huile chaque fois que nécessaire. Faire égoutter la friture sur une serviette blanche ou sur du papier absorbant spécial. Servir chaud.

La même préparation et la même recette s'appliquent aux petits maquereaux dits «dieppois».

Filets de poissons en pâté gentrochat

Préparation : 1 ½ heure.
Pour 4.

> **600 g de filets de poisson :**
> **colin, cabillaud, lieu, dorade, frais**
> **ou surgelés**
> **125 g de champignons de Paris**
> **50 g de beurre**
> **100 g de fromage râpé**
> **Epices à volonté :**
> **sel, poivre, ail, oignons, cive, girofle,**
> **thym, laurier, estragon, etc.**
> **3 cuillerées de farine**
> **1 citron**

Laver et faire tremper le poisson dans la saumure. (Voir début du chapitre). Mettre les champignons à dégorger : eau vinaigrée. Pendant qu'il trempe, préparer un bouillon très épicé : herbes, ail, pointe de piment, etc. Y faire pocher le poisson 5 minutes. Le sortir de l'eau. S'assurer qu'il n'y reste pas une arête. Passer au moulin.

D'autre part, émincer les champignons, les faire blondir au beurre chaud. Les sortir de la casserole. Dans le même fond, verser 2 verres du bouillon de cuisson du poisson. Epaissir avec la farine, délayée dans un troisième verre du même bouillon. Tourner pour avoir une sauce bien lisse. Ajouter le poisson, les champignons, bien tourner. Sortir du feu. Mélanger le fromage râpé. Verser dans un plat beurré allant au four. 10 minutes de feu très doux. Servir chaud.

Soufflé gaigneron

Préparation et cuisson : 1 ½ heure en deux temps.
Pour 4.

600 g de filets de poisson
4 œufs
1 verre de vin blanc sec
50 g de farine
2 grosses cuillerées de beurre
Bouquet garni
Ail
2 oignons
1 forte pincée de curry
1 citron

Le poisson a passé une ou deux heures dans la saumure. Voir les conseils donnés à la page 129. Le faire cuire 10 à 12 minutes dans un bouillon très épicé : ½ litre d'eau avec oignons, cive, ail, bouquet garni, un peu de saumure où il a trempé. Le sortir du bouillon. Le passer au moulin.

Epaissir avec la farine une sauce qui sera mouillée du verre de vin blanc, de 2 verres de l'eau de cuisson du poisson, enrichie d'une cuillerée de beurre. Y mélanger les jaunes d'œufs, d'abord, ensuite le curry, le poisson pilé, puis les blancs battus en neige ferme. Beurrer le plat à mettre au four. Verser la pâte prête. Quelques noix de beurre à la surface. Laisser cuire à four doux pendant une demi-heure.

Servir chaud au sortir du four.

Soupe de poisson

De préférence utiliser du «poisson blanc».
Pour 6.

500 g de poisson
3 pommes de terre
2 carottes
2 oignons secs
Herbes d'assaisonnement

Faire cuire comme pour le blaff le poisson

préalablement parfumé de la saumure dans une eau parfumée aux herbes. Désosser le poisson. Piler la chair ou la passer au moulin, de même que les légumes. Faire repasser au feu, délayé dans l'eau de cuisson. Servir chaud avec croûtons frits, préalablement frottés d'ail frais.

Soupe ou blaff d'oursins — l'eau de cuisson ayant bouilli à petit feu avec les herbes et épices, comme pour le blaff, y ajouter les oursins frais copieusement citronnés. Laisser frémir à feu doux 6 à 8 minutes.

Calmar

Pour 5.

1 kg de calmar
2 citrons
Ail
Oignons
Echalotes
Herbes fines
2 cuillerées d'huile
60 g de beurre

Laver à grande eau. Bien citronner. Couper en morceaux moyens. Faire revenir dans la graisse (huile et beurre) avec oignons, ail, etc. Mouiller d'eau chaude, à petits coups. Saler. Laisser cuire à feu moyen au moins 1 heure. (Avec 1 piment, selon goût)

Se sert traditionnellement avec du riz à la créole, en grains ou des haricots rouges, très crémeux.

Thon

Grillade de thon

Préparation et cuisson : ½ heure en deux temps. 10 minutes avant, 15 à 20 minutes après le passage en saumure. Prévoir toujours 1 heure pour ce passage en saumure. (Marinade).
Pour 4.

> **500 g de thon coupé en larges escalopes**
> **Fournitures pour la marinade (voir p. 129)**
> **Citron et persil pour la présentation**

Laisser le poisson une heure environ dans la saumure.

Préparer le gril comme pour un beefsteak. Huiler, chauffer, Sécher chaque tranche de poisson sortie de la marinade dans un torchon ou avec du papier absorbant. Faire griller sur feu doux, moins vif et plus lent que pour le grillage de la viande. Il faut 5 à 6 minutes de cuisson par face selon l'épaisseur de la tranche. Eviter qu'une croûte dorée se forme trop rapidement sur une chair pas cuite. Servir avec sauce légère : jus de citron, persil, échalotes hachées, une pointe d'ail et de piment.

Thon mariné

Pour 6.

> **1 kg de thon**
> **6 oignons**
> **Epices pour la saumure (voir début du chapitre)**
> **Farine fraîche**
> **Huile pour la friture (à la poêle)**

Couper le thon en gros dés de 3 à 4 cm de côté. Le laisser dans la saumure, 2 heures au moins. Sécher chaque morceau dans un torchon net ou du papier absorbant. Les rouler dans de la farine fraîche avant de jeter dans l'huile chaude. Faire dorer et cuire à feu moyen.

Dans la même poêle, faire blondir les oignons émincés en tranches, les saler légèrement, couvrir d'une cuillerée de vinaigre avant de sortir du feu. Verser sur le poisson frit, chaud. Servir.

Accompagner de persil frais, de tranches de citron et de piment vert. (Piment confit à la rigueur).

Morue

Il faut, dans la cuisine antillaise, faire une place particulière à la morue. Elle arrive salée et séchée aux Antilles, y fait l'objet de préparations variées. La plus fréquente, la plus caractéristique : les croquettes. Voir la recette des acras.

Morue à l'eau

Pour 4.

500 g de morue

Se dessale 18 à 20 heures, il vaut mieux la couper en 5 ou 6 pièces. Pocher dans l'eau bouillante parfumée d'une feuille de bois d'Inde. Egoutter sur une serviette. Servir avec piment frais (ou confit), jus de citron, huile fraîche. Accompagne les racines cuites : ignames, choux, etc.

Morue frite

Pour 6.

600 g de morue

Passer dans la pâte à frire des morceaux de morue dessalée, pochée. Les faire frire à feu doux dans de l'huile pas trop chaude. Servir avec piment confit. (Accompagner de tranches d'avocat au naturel si possible.) Se mange aussi volontiers avec une salade de pommes de terre.

Morue « marinée »

Pour 4.

> **500 g de morue**
> **5 à 6 oignons**
> **1 dcl d'huile**
> **1 cuillerée de vinaigre**

Faire dessaler et pocher la morue. (Voir morue à l'eau.) Faire blondir les oignons émincés dans la poêle. Ajouter une cuillerée de vinaigre. Verser chaud sur la morue rangée sur le plat de service.

Morue grillée en « féroce »

Pour 3.

> **100 g de morue**
> **Ail**
> **Oignons**
> **Cive**
> **Piments frais à volonté**
> **1 dcl d'huile fraîche**
> **2 citrons**

Préparer une sauce froide avec les oignons,

l'ail, les herbes, finement hachés. Mouiller du jus de citron, de l'huile. Faire griller la morue, tout juste lavée et coupée en larges dés. La placer sur le plat de service. La mouiller d'un demi-verre d'eau bouillante. Verser la sauce. Servir avec de la farine de manioc et des tranches d'avocat au naturel.

Morue à la sauce béchamel

Pour 4.

> **500 g de morue**
> **300 g de pommes de terre**
> **1 sauce béchamel**

Une sauce béchamel que l'on ne sale pas mais que l'on mouille avec l'eau de cuisson des pommes de terre. L'assaisonner d'un bouquet garni. Il en faut environ 3 louches.

Dessaler, pocher la morue. La désosser, l'éplucher. La couper en tranches moyennes. Faire cuire à part les pommes de terre épluchées et coupées en 2 ou 4 quartiers. Mettre d'abord la morue, puis les pommes dans la sauce. Servir nappé de persil frais.

Morue en court-bouillon

Pour 4.

> **500 g de morue**
> **200 g de pommes de terre**
> **4 oignons**
> **4 tomates**
> **3 cuillerées d'huile**
> **3 cuillerées de beurre**
> **Epices**
> **Bouquet garni**

Dessaler, pocher la morue. Faire revenir les oignons émincés, les tomates coupées en quartiers, les pommes épluchées et coupées en quartiers, assaisonner, mouiller peu. Laisser cuire 10 minutes. Ajouter ensuite la morue pour juste un bouillon. Servir chaud. Accompagne le riz en grains, ou les racines cuites, les bananes à cuire encore vertes.

Macadam de morue

Pour 6.

> **600 g de morue**

300 g de riz
3 oignons
1 dcl d'huile
Epices
2 cuillerées de beurre

Faire dessaler la morue. Faire blondir les oignons émincés dans moitié huile et moitié beurre. Ajouter ail, épices, cive, bouquet garni, un piment rouge. Mouiller, laisser frémir 5 minutes. Faire cuire à part le riz à l'eau parfumée d'épices. Verser la sauce sur le riz. Mélanger. Servir avec les tranches de morue en garniture.

Déchirade de morue

Pour 3.

100 g de morue
2 gousses d'ail
3 ou 4 oignons
Jus de 2 citrons
6 cuillerées d'huile
Piment vert ou confit

Laver la morue. La faire dessaler 5 heures. La pocher, juste à l'eau très chaude. Lui enlever peau et arêtes. La couper en morceaux de la taille d'une amande. Faire une sauce froide avec les oignons émincés, l'ail pilé, le citron, le piment, arrosés de l'huile. Verser sur la morue. Se mange avec du manioc et de l'avocat ou des petites bananes vertes à cuire.

Brandade verte

Pour 4.

> 350 g de morue
> 350 g de pommes de terre
> 2 gousses d'ail
> 2 citrons
> 2 dcl d'huile
> Cive
> Herbes aromatiques
> 2 oignons
> Beurre
> Lait pour la purée

Dessaler, pocher la morue. La piler en même temps que l'ail, les oignons, les herbes, les épices. Incorporer l'huile en battant. Préparer d'autre part une purée de pommes. La mélanger avec la morue pilée.

Poivrons

Poivrons farcis à froid

Préparation : 15 minutes, 1 heure d'avance.
Pour 6.

> 3 poivrons choisis verts, frais, plutôt longs
> 150 g de fromage blanc
> Herbes
> Persil
> Estragon
> Paprika
> Ail, selon le goût
> Sel
> Poivre
> 50 g de crème fraîche

Préparer la farce à froid avec : le fromage blanc écrasé, salé, poivré, parfumé selon le goût des herbes finement hachées, délayé avec la crème fraîche et une cuillerée de paprika.

Laver, sécher les poivrons. Enlever la tête. Les épépiner. En bourrer l'intérieur avec la farce dont la consistance doit rester ferme. Replacer la rondelle de la tête, pour bien boucher. Le fruit doit sembler intact. Garder au frais. Servir par tranches comme un saucisson.

Poivrons farcis à chaud

Préparation et cuisson : 1 heure.
Pour 4.

> **4 gros poivrons verts**
> **150 g de foie de volaille**
> **1 citron**
> **Fines herbes**
> **60 g de beurre**
> **2 ou 3 cuillerées de restes de riz cuit**

Préparer la farce avec le foie lavé, citronné, sauté au beurre, et bien assaisonné d'herbes. Le passer au moulin, le mélanger au riz cuit. Plonger 2 minutes les poivrons dans l'eau bouillante. En enlever une rondelle, à la tête. Les vider. Les remplir de la farce. Refermer. Ranger les poivrons dans un plat beurré. Les beurrer chacun d'une noisette de beurre, les passer au four moyen pendant 35 minutes.

On peut réaliser la farce avec des restes de viande passés au moulin et fortement assaisonnés qu'on aura liés avec une pâte faite de pain trempé dans du lait (à la place du riz à l'eau).

Porc

Ragoût «tous bouts»

Préparation et cuisson : 2 ½ heures.
Pour 6.

> 1 500 g de pieds, queues, oreilles de
> jeune porc
> 2 cuillerées d'huile
> 2 cuillerées de margarine ou beurre
> 2 citrons
> 5 oignons moyens
> 2 cuillerées de concentré de tomate
> 1 cuillerée à café de curry
> Bouquet garni
> Piment
> Girofle ou bois d'Inde

Gratter, laver, citronner la viande. La couper
en morceaux. Faire revenir les oignons entiers
dans l'huile et le beurre. Les sortir. Dans la
même graisse, faire dorer la viande en mouillant très peu. Rajouter les oignons, le bouquet, le piment, l'ail. Mouiller de 3 verres
d'eau. Laisser cuire 1 ½ heure. Verser dessus
le concentré de tomate délayé dans un demi-
verre d'eau, puis le curry. Faire mijoter quelques minutes. Servir chaud.

Les légumes exotiques, préparés à l'eau et au sel : fruit à pain, choux caraïbes, bananes vertes, ignames, etc., accompagnent très bien ce plat.

Ragoût da phanie

Préparation et cuisson : 2 heures.
Pour 6.

> **1 500 g de poitrine ou de côtes de porc**
> **3 gros oignons**
> **2 gousses d'ail**
> **3 cuillerées d'huile**
> **1 cuillerée de beurre**
> **2 citrons**
> **1 piment**
> **1 feuille de bois d'Inde**
> **Thym**
> **Laurier**

Laver, citronner la viande, la couper en gros morceaux, la faire dorer dans l'huile et le beurre. Mouiller doucement pour faire prendre couleur. Ajouter les oignons coupés en 4, les autres épices. Couvrir tout juste d'eau. Bien ajuster le couvercle et laisser cuire 1 ½ heure. (En cocotte minute il faut compter moitié moins de temps.)

Poule et poulet

Fricassée de poule campagnarde

Préparation et cuisson : 2 heures.
Pour 6.

>   1 poule de 3 à 4 livres
>   100 g de lardons (à volonté)
>   3 oignons
>   2 citrons
>   Ail
>   Bouquet garni
>   30 g de beurre (1 cuillerée)
>   3 cuillerées d'huile
>   Poivre
>   Sel
>   3 tomates fraîches
>   1 cuillerée de purée de tomate

Vider, citronner la poule, bien plumée et flambée. La couper en quartiers (10 à 12). Faire blondir dans le beurre et l'huile les lardons, les tomates, les oignons. Puis, tout enlever de la marmite, sauf le fond de graisse. Y faire saisir le foie, le sortir. Y faire dorer alors la viande. Mouiller doucement d'un ou deux verres d'eau pour faire prendre couleur. Ajouter le bouquet, les épices, et laisser cuire à feu doux en arrosant de courte sauce. Bien couvrir la marmite tout au long de la cuisson (1 ¼ heure). Ajouter la purée de tomate 10 minutes avant de servir, le foie seulement 2 minutes avant. Servir avec ignames chaudes (cuites à l'eau et au sel) ou riz en grains à la créole, ou pommes vapeur.

Poule à la noix de coco

Préparation et cuisson : 2 heures.
Pour 6.

> **1 poule de 3 à 4 livres**
> **300 g de riz**
> **250 g de noix de coco râpée**
> **2 oignons**
> **1 bouquet garni**
> **1 gousse d'ail**
> **1 citron**
> **1 cuillerée de farine**
> **30 g de beurre**

Flamber la poule. La couper en quartiers. Les citronner. Les faire revenir dans 30 g de beurre juste blondi. Saler. Assaisonner de sel, poivre, bouquet garni, et mouiller de 1 ½ litre d'eau pour faire cuire à feu modéré, environ 1 heure, avec les oignons coupés et la gousse d'ail.

Faire cuire à l'eau et au sel le riz en grains. Faire bouillir la pulpe de noix de coco pendant dix minutes dans 2 verres d'eau. Presser ensuite fortement dans un linge fin. Avec ce jus et l'eau de cuisson de la poule préparer une sauce qui sera simplement épaissie de la cuillerée de farine, tournée de façon à rester bien lisse, assaisonnée selon le goût.

Servir le riz couronné des quartiers de poule et recouvert de la sauce.

Poulet à la semoule de blé

Préparation et cuisson : 60 à 70 minutes.
Pour 4.

> 1 poulet de 1 200 à 1 500 g
> 250 g de semoule de blé
> 60 g de lard fumé
> 4 oignons
> Fines herbes
> 2 cuillerées de beurre
> 2 cuillerées d'huile
> Sel

Poivre en grains
3 tomates fraîches
(A couper en rondelles)

Couper en 4 et citronner le poulet bien nettoyé. Faire revenir d'abord le lard coupé en dés dans le beurre et l'huile chauds, puis y faire dorer les quartiers de poulet. Mouiller doucement d'un verre d'eau, ajouter les oignons coupés en dés, les herbes : thym, laurier, estragon ou cive, selon goût. Saler, poivrer. Recouvrir hermétiquement. Faire cuire à petit feu en arrosant modérément, pendant 30 à 40 minutes. Placer la viande cuite sur un plat en attente, au chaud. Allonger la sauce d'un litre d'eau bouillante. Y jeter la semoule en pluie, en tournant. Au bout de 6 à 8 minutes, elle est cuite. Servir chaud, garni des quartiers de poulet. Orner des rondelles de tomates fraîches.

Colombo au foie de volaille

Préparation et cuisson : 2 heures
Pour 6.

750 g de foie de volaille
350 g de riz
300 g de crevettes décortiquées

200 g de jambon
3 citrons
2 gousses d'ail
Herbes fines
4 cuillerées d'huile
3 cuillerées de beurre
100 g de fromage râpé
2 cuillerées de curry

Nettoyer le foie, le mettre à macérer dans un jus de citron ; faire macérer à part les crevettes dans une marinade : 2 cuillerées d'huile, un jus de citron, une gousse d'ail pilée. Faire cuire le riz dans une eau parfumée d'un bouquet garni, des 2 cuillerées de curry et de deux cuillerées d'huile. Couper le jambon (qu'on peut remplacer par du lard de poitrine fumé, maigre en carrés). Faire sauter foie et jambon dans 2 cuillerées d'huile et 1 de beurre. Assaisonner à volonté de sel, poivre, ail. Dans une terrine beurrée, disposer alternativement : une couche de riz, une de viande, une de riz, une de crevettes, une de riz, une de viande, etc. Finir par le fromage râpé, quelques noisettes de beurre. Laisser à four doux pendant ¼ d'heure. Servir chaud.

Poulet grillé sauce forte

Préparation et cuisson : 30 à 40 minutes.
Pour 4.

1 poulet de 3 livres environ
1 citron
2 gousses d'ail
Du piment frais
4 cuillerées d'huile
Echalotes

Couper en 4 le poulet vidé et flambé comme pour un rôti. Le mettre pour 15 minutes dans une marinade : jus de citron, sel, ail, 2 cuillerées d'huile. Chauffer, huiler le gril. 10 minutes avant de servir, faire griller les morceaux sur feu vif d'abord, puis maintenir à feu doux 3 ou 4 minutes de plus. Servir avec une sauce épicée : huile, jus de citron, piment haché en lanières, échalotes émincées.

Pimentade de poulet grillé

Préparation et cuisson : 1 heure environ.
Pour 4.

> 1 poulet de 1 200 g environ
> 250 g de riz
> Bouquet garni
> 1 dcl d'huile
> 2 gousses d'ail
> 2 citrons
> 3 échalotes
> Piments verts : 2 ou 3 selon grosseur
> Sel
> Poivre

Citronner le poulet vidé et flambé, comme pour être rôti. Le couper en 4. Faire macérer ½ heure les morceaux dans jus de citron, sel, ail.

Dans 1 ½ litre d'eau salée mettre le bouquet garni à bouillir. Faire cuire le riz en grains dans cette eau. Préparer pendant ce temps une sauce avec piments, échalotes, persil, hachés fin, deux cuillerées d'huile, sel, poivre, et deux cuillerées de bouillon prélevées sur l'eau de cuisson du riz.

Faire griller le poulet sur feu vif une ou deux minutes, comme une grillade ordinaire. Baisser ensuite le feu et laisser cuire, doré déjà, 2 à 3 minutes par face. Servir avec la sauce, accompagné du plat de riz chaud.

Poule au riz au piment vert

Préparation et cuisson : 2 à 3 heures.
Pour 6.

> **1 poule pas trop grasse de 3 à 4 livres**
> **300 g de riz long**
> **200 g de champignons frais**
> **30 g de beurre**
> **2 cuillerées de farine**
> **1 citron**
> **50 g de crème fraîche ou 2 verres de lait**
> **2 oignons**
> **Sel**
> **Poivre**
> **Bouquet garni**
> **1 clou de girofle**
> **Vinaigre**
> **1 vrai piment vert**

Mettre les champignons à dégorger dans de l'eau vinaigrée. Nettoyer, flamber la poule, la citronner. La faire cuire à l'eau froide, en pot-au-feu dans 2 à 3 litres d'eau avec les herbes, les épices et les oignons coupés en quartiers. La cuisson dure 50 à 60 minutes.

Séparer la viande du bouillon. Passer celui-ci. En réserver 2 verres. Faire crever et cuire le riz dans le reste, avec le piment vert entier. Faire dorer les champignons au beurre dans la poêle, les arroser de 2 à 3 cuillerées du bouillon. Epaissir ensuite le bouillon restant de la farine délayée dans le lait (dans de l'eau si on a choisi d'utiliser la crème fraîche). Ajouter les champignons, puis la crème fraîche, en tournant bien. Découper la poule en quartiers. Disposer le riz au centre du plat. Les quartiers de viande autour. Recouvrir le tout de la sauce. Garnir de persil frais. Planter le piment vert au centre de la pyramide de riz.

Riz

Ennemi de la cellulite, le riz, de digestion facile, est un des aliments qui se prêtent aux préparations les plus diverses. Le choisir brillant, en grains longs.

Cuisson

Pour une bonne cuisson : en grains, à l'eau, deux méthodes :

a) le jeter dans 2 fois son volume d'eau bouillante. Amener à ébullition, sans couvrir. Quand il commence à bouillir, baisser le feu, couvrir, laisser sécher lentement (on peut parfumer d'herbes l'eau de cuisson) ;

b) mettre le riz dans 4 fois son volume d'eau froide salée. Laisser cuire 15 minutes. Passer pour séparer les grains du bouillon (l'eau de cuisson peut servir de base à un potage).

Pour rendre quelque fermeté au riz accidentellement trop cuit, et qui aurait tendance à coller, le verser sur la passoire. Laver à grande eau froide sous le robinet. Faire égoutter, passer ensuite à la poêle avec du beurre chaud. Saler au besoin.

Riz au fromage frais

Préparation et cuisson : 20 minutes.
Pour 4.

> 250 g de riz
> 100 g de fromage blanc sec
> Sel
> Bouquet garni
> Laitue
> 2 tomates

Faire cuire le riz dans une eau salée parfumée du bouquet garni et de fines herbes (persil, estragon, civette, au choix). Au moment de servir, écraser le fromage à la fourchette grossièrement, le mélanger au riz. Orner de verdure (feuilles de laitue ou persil haché) et de quelques rondelles de tomates. Se parfume également avec bonheur de 2 cuillerées de rhum où on a fait macérer raisins secs, pruneaux, écorce d'orange ou écorce de citron.

Risotto au curry

Préparation et cuisson : 1 ½ heure.
Pour 6.

> 750 g de foie de volaille
> 350 g de riz
> 200 g de champignons de Paris

150 g de jambon
125 g de fromage râpé
3 tomates
2 citrons
2 oignons
3 cuillerées de beurre
4 cuillerées d'huile
½ verre de vinaigre
Sel
Ail
Bouquet garni

Faire cuire le riz dans 1 ½ litre d'eau salée,
parfumée d'herbes. Laver les champignons à
l'eau vinaigrée. Couper le jambon en dés ; les
oignons en lamelles. Verser le jus d'un citron
sur le foie vérifié, lavé, nettoyé de tout point
verdâtre. Mettre 2 cuillerées d'huile, 1 de
beurre, dans une poêle pour faire sauter les
oignons, le jambon ; les sortir. Dans le même
fond, faire dorer les champignons, les couvrir
des tomates coupées en quartier. Saler, assaisonner. Tenir en réserve avec le jambon et les
oignons. Faire ensuite sauter dans du beurre
et de l'huile, le foie. Puis mélanger le tout.
Saupoudrer de curry, vérifier l'assaisonnement. Ajouter le riz.

Beurrer une terrine allant au four. Y verser
la composition que l'on parsèmera de fromage
râpé. Couvrir par une couche de fromage
râpé, de quelques noisettes de beurre. Laisser
12 à 15 minutes à four modéré. Servir chaud.

Présentations diverses

Riz ardent

Faire cuire comme déjà indiqué. 250 g de riz pour 4. Préparation : 25 minutes.

Préparer un mélange à la poêle : 50 g de beurre fondu, une grosse cuillerée de paprika. Mélanger au riz. Servir chaud.

Riz aux kernelles

250 g de riz
100 g de kernelles,
Sel

Faire cuire le riz en eau salée parfumée d'herbes. Mélanger aux kernelles grossièrement hachées.

On peut agir de même avec des cacahuètes, des amandes mondées, des noix, des fèves cuites, du raisin de Smirne, ou des petits cubes de fromage cuit (gruyère, hollande, emmenthal, paese italien, etc.)

166

Riz perles d'or

Préparation : 25 à 30 minutes.

250 g de riz
1 dcl d'huile

Faire cuire le riz en grains bien détachés dans de l'eau bouillante à laquelle on a ajouté une cuillerée d'huile. Mélanger ensuite au plat une poignée de riz frit à l'huile bouillante bien doré et craquant.

Riz à la noix de coco

Préparation et cuisson : 40 minutes.

250 g de riz
100 g de noix de coco râpée et séchée
(on en trouve au rayon des fruits
séchés) ou 200 g de noix de coco
fraîche râpée

Faire bouillir la noix râpée dans deux verres d'eau, si elle est sèche. Si elle est fraîche, verser simplement les verres d'eau sur la pulpe. Presser pour en extraire le jus. L'ajouter à l'eau de cuisson du riz déjà crevé.

Riz au gratin

Restes de riz
Beurre chaud
Fromage râpé

15 minutes au four moyen.

Terrine de riz au foie d'agneau

Préparation et cuisson : 1 ½ heure.
Pour 6.

600 g de foie d'agneau ou de génisse
300 g de riz
250 g de champignons de Paris
200 g de chorizo ou de saucisson fort
150 g de gruyère râpé
50 g de beurre
5 cuillerées d'huile
Bouquet garni
Fines herbes
Sel
Poivre
Ail
Etc.

Nettoyer les tranches de foie de leur peau. Les couper en dés que l'on citronnera. Faire cuire le riz dans une eau fortement parfumée d'herbes. Laver les champignons à l'eau vinaigrée. Couper le chorizo en tranches, soigneusement épluchées.

Faire sauter le foie dans 1 cuillerée de beurre et 2 d'huile. Le sortir de la poêle. Le remplacer par les champignons coupés en 2 chacun. Saler, ajouter les rondelles de chorizo, le reste de l'huile. Assaisonner à volonté.

Dans une terrine beurrée, disposer par couches, le riz, le foie, le mélange de champignons et de chorizo, le riz, du fromage râpé. Finir par une couche de fromage. Faire dorer 10 minutes au four (avec quelques noisettes de beurre à la surface.) Le four doit être modéré. Servir chaud.

Soupe indienne

Préparation et cuisson : 20 minutes.
Pour 4.

150 g de riz
100 g de noix de coco râpée fraîche
50 g de noix de coco râpée sèche

**50 g de beurre
sel
Curry
Croûtons**

Sur deux feux. D'une part, le riz avec la noix de coco dans 1 ½ litre d'eau salée. 15 minutes de cuisson. D'autre part, le pain (environ 60 g) coupé en dés, à la poêle, sur feu vif, dans du beurre. Passer le bouillon. Le parfumer au curry. Verser sur les croûtons. Servir chaud.

Potage au riz aux croûtons

Pour 4.

**Pour utiliser l'eau de cuisson du riz
1 ½ litre environ
50 g de lardons
2 oignons
3 biscottes
50 g de beurre**

Dans moitié beurre, faire revenir les oignons coupés en rondelles avec les lardons, les sortir de la poêle, faire dorer les biscottes dans la même poêle. Puis placer au fond de la soupière. Verser le bouillon chaud, ajouter reste du beurre. Saler, poivrer à souhait.

Riz au four

Préparation : 5 minutes.
Cuisson : 3 heures.
Pour 6.

1 litre de lait
3 cuillerées de riz
4 cuillerées de sucre
1 noix de beurre
1 pincée de sel
Parfum vanille ou zeste de citron

Dans un plat allant au four, verser le lait, puis
le sucre, le riz en pluie, ajouter parfum, sel et
beurre. Laisser trois heures en four modéré.

Gâteau de riz au rhum

Préparation et cuisson : 3 heures.
Pour 6.

> 1 l de lait
> 5 cuillerées de riz
> 5 cuillerées de sucre
> 1 zeste de citron
> Une pincée de sel
> 4 œufs
> ½ verre de rhum vieux
> 40 g de beurre

Sucrer le lait. Y ajouter le zeste de citron, le sel, le riz, une noisette de beurre. Faire cuire sur feu doux pendant 2 heures. Laisser tiédir. Mélanger d'abord les jaunes des œufs un à un en tournant bien, puis les blancs tous à la fois, battus en neige ferme. Verser le rhum. Verser dans un moule beurré. Mettre au four doux 30 à 40 minutes. Servir frais.

On peut caraméliser le moule au lieu de le beurrer. En ce cas remplacer le beurre du moule par le caramel. Il faudra 4 cuillerées à dessert de sucre au moins.

Salades

Tout le monde sait faire la «vinaigrette» (d'ailleurs souvent parfumée au jus de citron) à verser sur le cresson, la laitue, la scarole, ou quelque légume vert cuit préparé dans le saladier.

Voici quelques suggestions pour varier un peu.

Salade de champignons de Paris

Au jus de citron et à la crème fraîche.

Salade de cresson

Additionnée de lamelles de pommes golden.

Salade de pommes de terre au vin blanc

Laisser les pommes tremper une nuit dans du vin blanc. Les couper en rondelles et assaisonner ensuite.

Salade de riz aux amandes et aux œufs durs

Préparation : 15 minutes.
Pour 4.

10 cuillerées de riz cuit
100 g d'amandes concassées
3 œufs durs

Couper les œufs durs en rondelles. Mélanger le tout. Assaisonner.

Salade de concombre aux herbes fines et à la crème fraîche

Préparation : 2 heures à l'avance

Concombre
Crème fraîche
Estragon haché fin

Eplucher et émincer le concombre. Le saler pour le laisser dégorger. Au moment de servir mélanger crème et herbes hachées au fond du saladier, verser le concombre séparé de son jus.

Salade de riz aux harengs et au piment

Pour 5.

10 cuillerées de riz cuit à l'eau
4 harengs
Ail
1 citron

3 échalotes
1 poivron rouge
Du vrai piment

Couper le hareng en lanières. Le poivron également. Emincer les échalotes. Frotter le fond du plat d'un piment ouvert. Y mettre le jus du citron, puis la moitié d'une gousse d'ail pilée. Bien remuer. Ajouter le hareng, les échalotes, le riz. Garnir des lamelles de poivron.

Salade californie

Restes de riz à l'eau
Kernelles pilées
Restes de poulet rôti

Assaisonner.

Salade rubis

Endives
Radis en rondelles
Amandes salées

Assaisonner.

Salade garibaldi

Carottes râpées
Oignons blancs émincés
Laitue en lanière

Ne pas mélanger. Servir en couronnes distinctes ou en petits paquets. Assaisonner.

Salade innovation

Aubergines cuites dans leur peau

Couper les aubergines en deux dans de l'eau salée. Les faire égoutter. Servir arrosées d'une sauce vinaigrette au citron.

Salade vauclinoise

Langoustines cuites à l'eau bouillante salée.

Egoutter. Servir avec beurre, piment vert et jus de citron frais, avec radis en garniture.

Salade malienne

Tomates rondes, vidées crues.

Fourrer de mayonnaise sur lit de persil.

Laitue aux olives et noix kernelles

**1 laitue
10 olives noires
50 g de kernelles**

Au fond du saladier. Assaisonner. Remuer.

Concombre au paprika

Concombre, émincé, salé.

Laisser à dégorger 2 heures. Le séparer du jus. L'assaisonner d'une sauce mayonnaise rehaussée de paprika.

Vaudois gourmand

200 g de gruyère en dés
4 belles tomates
6 pommes de terre en rondelles

Les tomates coupées en quartiers. Diposer artistiquement. Assaisonner.

Matin caraïbe

Pour 4.

2 avocats moyens
200 g de crevettes roses
Jus de citron
Sel
Piment

Couper chaque avocat en 2 barquettes. Décortiquer les crevettes. En remplir les moitiés d'avocat. Arroser de citron frais et d'un brin de piment.

Endives à la mode exotique

Pour 6.

> **6 endives**
> **4 bananes**
> **150 g de cacahuètes**
> **100 g de crème fraîche**

Laver, effeuiller les endives. Eplucher, couper les bananes en rondelles, ajouter les cacahuètes. Verser dessus la crème fraîche salée et poivrée.

Propos de bonne femme

Tantana recommande de ne jamais jeter une eau de cuisson — légumes, viande ou poisson — sans s'assurer qu'il est impossible d'en tirer quelque savoureux potage.

Elle affirme que dix, cent recettes inédites de boissons sont à la portée de tous.

Par exemple, l'infusion ou la décoction d'écorce de zeste d'orange, de citron, de la simple pelure des pommes. Bien mieux, d'une poignée de fraises, de framboises, de cerises fraîches... En place du thé, du café que tous ne tolèrent pas toujours, elles désaltèrent. Froides ou chaudes.

Macérés dans le rhum, les fruits secs : raisins, pruneaux, dattes, bananes, etc., donnent au bout de 3 ou 4 semaines des essences et liqueurs précieuses. Crèmes, gâteaux, glaces s'enrichissent de leurs parfums. Sucrées ou non, elles se servent à l'apéritif. Corsées, elles suivent le café. Etendues d'eau plate ou gazeuse, avec ou sans glaçons, elles désaltèrent aussi.

Tantana prétend en outre que sont secrets de polichinelle des tas de recettes de bonne femme tirées de feuilles, fruits et légumes ordinaires.

Le concombre rafraîchit l'épiderme et lui confère velouté. De l'avocat un peu trop avancé on fait d'excellents shampooings, de l'eau de cuisson du gombo également.

Quant aux modestes chayottes, elles viennent au secours des hypertendus. Le zeste de citron combat grippe et fièvre.

Le blanc charnu de l'écorce d'orange en décoction vient à bout de la toux des bronchiteux. La pomme de terre crue râpée supprime tout effet de brûlure. Les feuilles de corossolier utilisées en infusion ou simplement écrasées dans l'eau du bain rendent sommeil calme aux nerveux. Le gombo a de réelles qualités laxatives, l'oignon, diurétiques, le thym, digestives. La feuille de pomme cannelle aide les bilieux alors que la goyave verte est nettement astringente.

Tantana dit aussi que la pulpe de la noix de coco sèche détruit les parasites intestinaux et va jusqu'à débarrasser du ténia quiconque mangerait à jeun l'écorce noire qui en enrobe la chair blanche.

Tantana serait intarissable si on la laissait

dire, elles croient savoir tant et tant de choses les bonnes vieilles gens !

Limitons-nous à leurs suggestions pour quelques menus exotiques ni lourds ni dispendieux :

1) Vaudois gourmand
   Blaff d'oursins
   Veau froid au beurre d'avocat
   Salade Innovation
   Riz au four

2) Acras de choux caraïbes
   Matoutou de crabes
   Chayottes en salade
   Fromages
   Salade de fruits

3) Calalou
   Poule à la noix de coco
   Endives à la mode exotique
   Confiture de patates douces

4) Soupe de poisson
   Colombo de foie de volaille
   Cœur de palmier vinaigrette
   Beignets de bananes

5) Pâté en pot
   Mulet grillé sauce piquante
   Bananes (fruit) vertes à l'eau
   Fromage
   Glace à la goyave

6) Soupe habitante
   Grillade de thon
   Purée de choux caraïbes
   Vaudois gourmand
   Glace au chocolat

7) Melon au rhum vieux
   Acras de poisson
   Ragoût Da Phanie
   Igname en grains de riz
   Sorbet au lait de coco

8) Matin caraïbe
   Fricassée de poule fermière
   Salade Innovation
   Bananes aux pruneaux farcis

9) Boudin créole
   Gombo vinaigrette
   Thon en court-bouillon
   Riz ardent
   Bananes flambées

10) Concombre aux fines herbes à la crème
    Poulet grillé sauce forte
    Chayottes au gratin
    Fromages
    Glace au jus de mangue

11) Potage glacé au concombre
    Calmars à l'antillaise
    Pain-bois en migan

Fromage frais
Gelée de goyave

12) Avocat en robe blanche
Soufflé de pain-bois
Morue sauce béchamel
Bananes en daube

Récapitulation des recettes

Hors-d'œuvre et entrées

Légumes

Poissons et fruits de mer

Potages

Salades

Viandes et volailles

Achevé d'imprimer
sur les presses de
SCORPION.
Verviers
pour le compte des
Nouvelles Editions Marabout
D. août 1983/0099/141
ISBN 2-501-00451-5